SINATRA

John Lahr

SINATRA

L'ARTISTE ET L'HOMME

Traduit de l'anglais par
Catherine Pierre

ÉDITIONS MILLE ET UNE NUITS

Depuis dix ans, notre Fondation s'engage chaque jour en faveur de l'art vocal, aide les jeunes chanteurs à exprimer leur talent, contribue à la production d'œuvres lyriques, à la découverte du patrimoine musical et s'associe à l'édition d'ouvrages et d'enregistrements comme cet hommage à Frank Sinatra.

France Telecom
Fondation
Fondation d'entreprise

En page de couverture. Sinatra supervisant une session d'enregistrement en 1957
© William Read Woodfield/CPI.

Édition originale. États-Unis 1997.
Random House. Inc.. New York. N. Y. 10022

Une première version courte du texte de John Lahr a été publiée dans *The New Yorker*.

Copyright © John Lahr. 1997.
Copyright © Mille et une nuits. avril 1999.
e-mail info@1001nuits.com

ISBN 2-84205-397-4
Achevé d'imprimer en avril 1999
par G. Canale & C. Spa (Turin. Italie)

Le descriptif du CD se trouve en page 142

Mister Swoon

Il faut à peine un quart d'heure de ferry pour se plonger dans l'effervescence de Manhattan quand on vient d'Hoboken, dans le New Jersey, sur la rive opposée de l'Hudson. Il a fallu presque une vie à Frank Sinatra pour oublier cet endroit lugubre. Sinatra est né à Hoboken, le 12 décembre 1915. À l'époque, de River Road, rebaptisée aujourd'hui Sinatra Drive, on voyait la ligne de crête des gratte-ciel de New York s'élever à l'horizon comme les tuyaux d'orgue d'un graphique de rentabilité, et si on allait jusqu'au bord du bassin, on apercevait le bout du bout de la statue de la Liberté. Cette perspective agissait à la fois comme un plaisir et un reproche. Adulte, Sinatra employa souvent le mot « égout » pour parler de sa ville natale. Après 1947, l'année où on lui remit les clés de la ville, il n'y retourna officiellement qu'en 1985 quand il fut nommé docteur *honoris causa* du Stevens Institute of Technology, l'école d'ingénieur que sa mère ambitieuse voulait lui voir intégrer. Dolly

« Petit à petit, on apprend à travailler les paroles d'une chanson comme un scénario, comme une scène. »

Sinatra, qui croyait à la réussite comme tous les immigrants, voulait voir ce fils peu enclin aux études devenir un homme d'un certain pouvoir. Mais c'est en définitive bien plus que le pouvoir que Sinatra embrassa ; il infiltra l'univers merveilleux du monde occidental. Sa voix est « la plus imitée, la plus écoutée et la plus connue de la seconde moitié du XXᵉ siècle », déclare le disc-jockey new-yorkais William B. Williams dans les années cinquante, qui le gratifia pour toujours du titre de « président du Conseil ». Sinatra, dont un enregistrement de la voix accompagna les astronautes d'Apollo 12 en orbite autour de la Lune, et dont les deux cent six CD actuellement disponibles font de lui le musicien ayant à ce jour la plus grande discographie en son numérique de toute l'histoire de l'enregistrement, s'était baptisé lui-même le « roi des Ritals ». Les gardes du corps du président, ceux qui le protégèrent lorsqu'il prononça les discours aux galas d'investiture à la présidence de John F. Kennedy et de Ronald Reagan, et à chacun de ses déjeuners avec Nancy Reagan à la Maison-Blanche, décelèrent eux aussi chez Sinatra le sens de la destinée manifeste. Le nom de code qu'ils lui trouvèrent était Napoléon.

La vie de Sinatra est une longue démonstration tendant à prouver qu'il avait pris une longue revanche sur les années Hoboken, dont les cicatrices étaient plus difficiles à discerner que celles laissées lors de l'accouchement par les forceps sur son nez, son oreille et sa joue. Ce bébé de près de treize livres fut arraché dans les souffrances au corps menu de sa mère âgée de vingt et un ans, la privant à jamais d'autres enfants. « Son côté provocant, imposant, sa dimension dans la vie publique : tout cela fait partie de lui. Mais derrière il y a, je dirais, non pas de la sensibilité, ce serait un euphémisme, mais un garçon délicat et fragile », me disait récemment sa fille, Tina Sinatra. Dans sa jeunesse, les projets de Sinatra étaient malheureusement aux antipodes de ses capacités. Il voulait construire des ponts, mais ne passa que quarante-sept jours houleux au lycée ; il voulait devenir chroniqueur sportif, mais son accent italien ressortait à chaque mot ; il adorait la musique, mais il ne savait pas la lire et était trop impatient pour apprendre à jouer d'un instrument. « L'histoire de Sinatra, la mienne, et de bien d'autres à notre époque, c'était qu'il fallait passer soit le pont de Jersey, soit celui de Brooklyn, pour aller à Manhattan et attendre qu'on vous dise "Vous faites l'affaire" », raconte l'écrivain Pete Hamill. (Fils d'immigrants irlandais, Hamill abandonna très tôt le lycée ;

Le jeune Frank Sinatra.

Sinatra l'avait un temps pressenti pour écrire sa biographie.) Il ajoute : « Nous, on venait là pour dire "Hé, c'est à moi, aussi." »

Gamin livré à lui-même, Sinatra allait souvent traîner sur les quais d'Hoboken, les jambes ballottant dans le vide au bord des docks, le regard fixé sur la ville, essayant d'imaginer son avenir. « Il ne rêvait pas, insiste Tina Sinatra, se rappelant les nombreux récits de son père sur cette période. Il disait : "J'y arriverai. Je traverserai cette rivière. J'irai là-bas et je me ferai un nom." » Dans son dos, loin de la rivière, l'ombre des palissades de Jersey City cachait les quartiers populeux dont les Italiens de la première génération comme ses parents essayaient désespérément de sortir. Hoboken était surtout habité par des Irlandais et des Allemands, les Italiens étant relégués au bas de l'échelle. Quand il était jeune, Marty, le père de Sinatra, était inscrit dans la catégorie poids coq sous le nom de Marty O'Brien pour avoir le droit de boxer. Dolly, qui avait les cheveux blond vénitien et les yeux bleus, se faisait parfois passer pour madame O'Brien. Quand ils ouvrirent leur

Mister Swoon

bar pendant la Prohibition, ils l'appelèrent le « Marty O'Brien's Bar ».

On a beaucoup écrit sur les femmes de Frank Sinatra, les trophées de sa gloire en quelque sorte, mais sa mère, cette petite femme à lunettes qui avait son franc parler, fille d'un lithographe cultivé qui avait conduit sa famille de Gênes à Hoboken, contribua plus à son succès qu'aucune de ses innombrables conquêtes. Dolly parlait plusieurs dialectes italiens et un anglais bien à elle. C'était un personnage populaire, une figure politique dans sa ville. Elle envisagea même de se porter candidate à la mairie. Pendant une bonne partie de sa vie, elle fut à la tête du comité du parti démocrate. Elle garantissait à la machine du parti au moins cinq cents voix à chaque élection. Elle fit beaucoup pour les autres et pour elle. Enfant, son fils souffrit peut-être de son absence (entre six et douze ans, c'est sa grand-mère qui s'occupait de lui dans la journée), mais il ne manqua jamais d'argent. Son élégance nonchalante, due à sa garde-robe soignée et bien garnie (le style Ivy League avait ses faveurs), lui valut le surnom de Slacksey. En pleine dépression, Dolly trouva le moyen d'entourer d'amis son fils capricieux en lui procurant la Chrysler modèle 1929 et assez d'argent pour qu'il leur offrît des sodas et le cinéma.

La ténacité de Sinatra, sa volonté et sa finesse, sa façon d'osciller en permanence entre le bien et le mal tenait beaucoup de Dolly, qui ne perdait jamais de vue ses propres intérêts. Au cours de sa vie, elle aida aux accouchements comme aux avortements, fit de la politique, tint un bar pendant la Prohibition. « C'était un roc ! », disait Sinatra. « Mon fils me ressemble, disait Dolly. Faites-lui une crasse, il s'en souviendra toute sa vie. »

« Je crois que Frank avait un faible pour son père », raconte Nancy Sinatra Senior, l'épouse de Frank pendant les années quarante et la mère de Nancy, Tina et Frank Junior. (« Avec Nancy, j'avais trouvé la beauté, la chaleur, et la compréhension. Être près d'elle était mon seul moyen d'échapper à un monde qui me paraissait sinistre », confia Sinatra à propos de celle qu'il fréquenta pendant trois ans.) Le père de Sinatra était un homme calme, effacé, alors que Dolly, la *balabusta* italienne typique, régentait la maison Sinatra. « Elle était très forte, catégorique dans ses jugements, elle faisait peur à tout le monde »,

Marty et Dolly Sinatra fêtent leur cinquantième anniversaire de mariage le 9 février 1963 en compagnie de leur fils célèbre. « C'était un roc ! », disait Sinatra.

se souvient Shirley MacLaine. Dolly avait une âme et un langage de charretier. « Salaud de fils de pute » était son insulte favorite. Elle traitait de « connard » l'acolyte de Sinatra, le patron de bar Jilly Rizzo, et presque tout le monde d'ailleurs. Elle avait surnommé sa dernière petite-fille, Tina, « ma petite crotte ». Parmi ses petits-enfants, Dolly avait une préférence pour Frank Jr, qu'elle pouvait porter aux nues et chouchouter comme son propre fils. « Elle nous a toujours dit, à moi comme à Nancy : "Quand je serai morte, tout ira à Frankie. Vous les filles, vous n'aurez rien", raconte Tina Sinatra. C'était une femme difficile. Elle a toujours donné du fil à retordre à papa. » Son ambivalence envers Sinatra a commencé avec sa naissance difficile. « Je voulais une fille. J'avais acheté plein de layette rose. Quand Frank est né, je m'en fichais. Je l'ai quand même habillé en rose. Plus tard, j'ai demandé à ma mère de lui confectionner des costumes en velours comme ceux du petit lord Fauntleroy. » Dolly aimait bien les enfants, mais elle les châtiait bien aussi. Elle gardait un morceau de bois de la taille d'une matraque derrière le bar, à la maison. « Quand on ne pouvait plus me tenir, elle me filait un coup avec cette petite matraque, après elle me serrait contre sa poitrine », raconta Sinatra à

Hamill dans les années soixante-dix, un soir où ils discutaient du projet de biographie du chanteur dans une chambre d'hôtel à Monte-Carlo. Hamill ajoute : « Puis Sinatra me dit : "J'ai épousé la même femme à chaque fois." C'était Ava. Et toutes les autres. Il a eu cette mère qui le punissait et l'étreignait en même temps. Il les voyait toutes comme ça. »

Dès le début, Sinatra embrassa et malmena le monde comme sa mère l'embrassait et le malmenait. « L'énergie et l'ambition de Dolly étaient profondément ancrées en lui », raconte Tina Sinatra. Ce dont témoigne cet épisode de la jeunesse du chanteur. Dolly avait persuadé le parrain de son fils et son homonyme, Frank Garrick, responsable du service de livraison du *Jersey Observer*, de trouver un boulot à son Frank. Comme prévu, Sinatra obtint une place de livreur pour le journal. Lorsque le chroniqueur sportif de l'*Observer* trouva la mort, Dolly renvoya Sinatra voir Garrick pour lui demander la place. Sinatra arriva au journal, habillé pour un emploi de reporter, mais Garrick s'était absenté. Sans se laisser démonter, Frank s'installa derrière le bureau vacant du défunt reporter et entreprit de se mettre au travail. Lorsque le rédacteur en chef l'invita à décliner son identité, il lui répondit qu'il était le nouveau chroniqueur sportif et que c'était Garrick qui l'avait envoyé. Son mensonge fut découvert au retour de Garrick et son parrain se vit obligé de le renvoyer. « Oh, la rage, les insultes et les grossièretés auxquelles j'ai eu droit… J'ai cru qu'il allait me tuer, raconte Garrick à Kitty Kelley dans *His Way*, sa biographie non autorisée de Sinatra. Il m'a traité de tous les noms imaginables puis est sorti comme une furie. Il ne m'a plus adressé la parole pendant cinquante ans, jusqu'à la mort de sa mère. Elle m'a ignoré elle aussi, et on avait beau vivre dans la même ville, elle ne m'a plus adressé la parole jusqu'à la fin de ses jours. »

Avec le temps, Dolly et son fils connurent eux aussi des périodes de brouille. « Nancy, notre mère, n'était pas assez bien, raconte Tina Sinatra. Puis, du jour au lendemain, elle le redevenait suffisamment. Quand Ava était dans les parages, elle s'en prenait à Dieu. "Mais comment peut-il faire une chose pareille?" Puis tous deux sont rentrés dans ses bonnes grâces. Ils sont redevenus Roméo et Juliette, et elle la mère qui les séparait. Dolly a complètement changé d'attitude. Elle a toujours donné du fil à retordre à papa. » On retomba dans l'impasse lorsque Sinatra annonça ses fiançailles avec sa quatrième femme, Barbara Blakeley Marx, une ancienne danseuse de Las Vegas qu'il épousa en 1976. « Je refuse qu'une putain entre dans la famille », vociférait Dolly. Il fallait sans cesse la désarmer et Sinatra avait appris depuis longtemps comment mener une offensive de charme. « C'était une emmerdeuse, mais elle avait la trouille de ce que je pourrais faire. Je n'ai jamais su ce qui lui aurait fait le plus peur », avoue-t-il dans les mémoires de Shirley MacLaine, *Les Stars de ma vie*. Celle-ci ajoute : « Frank me disait qu'il craignait sa mère mais qu'en même temps il essayait de lui ressembler. »

Dolly aimait bien chanter, surtout dans les mariages et dans les soirées bière entre politiciens, mais elle ne voulait pas voir son fils devenir chanteur. « Dolly ne croyait pas en ce que lui voulait faire, raconte Nancy Sinatra Jr. Quand il a commencé à chanter, ce n'était pas la fin du monde. » L'idée effleura Sinatra pour la première fois vers l'âge de onze ans, dans le bar de ses parents où il y avait un piano mécanique dans la première salle. « De temps en temps, un des gars au bar me prenait et me portait sur le piano. Je chantais sur la musique des cylindres. » Lors d'une conférence à l'université de Yale en 1986, Sinatra décrit la scène : « Un jour, on m'a donné cinq cents. Je me suis dit : "C'est ça le truc." J'ai pensé :

« Être près d'elle était mon seul moyen d'échapper à un monde qui me paraissait sinistre », dira Sinatra de Nancy Barbato, sa tendre et jeune épouse.

Le « roi des Ritals » arrive. Une des premières publicités : Frank Sinatra photographié sur Park Avenue.

"C'est formidable de chanter…" Je n'ai jamais oublié ça. » Pressé de faire quelque chose de lui-même, Sinatra se concentra de plus en plus sur le seul atout qu'il était certain de posséder : sa voix. « Dans mon quartier du New Jersey, quand j'étais môme, les garçons étaient boxeurs ou travaillaient à l'usine. Ceux qui restaient, avec qui je traînais, étaient dingues de musique. » Au cours d'une émission de radio dans les années quatre-vingt, Sinatra se souvient : « On avait un joueur d'ukulélé et on restait là, dans la rue, à chanter des chansons. » Sinatra expliqua à Shirley MacLaine que déjà jeune « il entendait les notes, les accords et les différentes valeurs musicales ». Sinatra aimait écouter Gene Austin, Rudy Vallee, Bing Crosby, Russ Columbo et Bob Elderly, mais entre tous, il idolâtrait Crosby, dont il adopta rapidement les accessoires : la casquette de marin et la pipe. Plus son ambition de devenir chanteur grandissait, plus Dolly se montrait autoritaire. « Adolescent, il y a toujours quelqu'un pour cracher sur vos rêves. » Quand Dolly vit la photographie de Crosby dans la chambre de son fils, elle lui jeta une

Son désir de communiquer avec son public et d'être porté par lui dégageait une énergie étonnante, autant dans la salle que sur scène.

chaussure à la tête en le traitant de propre à rien. Marty soutint sa femme : « Tu veux trouver un vrai boulot ou tu veux devenir un propre à rien ? » Sinatra rapporte la scène à Arlene Francis lors d'une émission de radio. « Il ne m'a plus parlé pendant une année. Toute une année. »

Sinatra quitta la maison quelque temps. Quand Dolly comprit qu'elle ne pouvait pas aller contre la volonté de son fils, elle essaya de l'épauler. Elle paya une partie des partitions que Sinatra louait aux orchestres du coin qui, en contrepartie, le prenaient comme chanteur. Elle lui acheta des amplis portables et un micro, ce qui le rendait encore plus intéressant auprès des orchestres. Elle usa de son influence pour l'aider à passer dans les bars, dans les meetings du parti démocrate, dans les boîtes, et même à l'Association culturelle sicilienne d'Hoboken. En 1935, toujours chez ses parents, Sinatra emmena Nancy voir Bing Crosby au Loew's Journal Square de Jersey City. « Ce fut un moment très exaltant pour nous deux, mais pour Frank, ce fut le moment le plus important de sa vie », raconte Nancy Sr, qui avait alors dix-sept ans et s'appelait Nancy Barbato ; son père, un entrepreneur plâtrier, avait offert à Frank une place à mi-temps. « Bing avait toujours été son héros, mais le voir sur scène semble avoir été un véritable déclic pour lui. En fait, il adorait chanter. Il chantait dans les soirées, il chantait pour moi tout le temps. Il m'emmenait parfois avec lui quand il passait en ville. Mais je pense qu'il n'y croyait pas vraiment. Je pense qu'il ne croyait pas vraiment que ça lui arriverait un jour, jusqu'à ce soir-là. "Un jour, me dit-il en rentrant du concert, ce sera moi là-haut." » Sinatra se remémore lui aussi cet épisode. « Je savais qu'il fallait que je sois chanteur. Mais je n'ai jamais voulu chanter comme lui. Tous les gosses du quartier fredonnaient à la Crosby. Ma voix était bien plus haute. Je me suis dit : "Ce n'est pas pour moi. Je ne veux pas être ce style de chanteur." » Peut-être décida-t-il de ne pas être comme Crosby, il n'en fut pas moins présenté comme le « nouveau Bing Crosby des ondes du New Jersey ». Sinatra s'était attaché à un trio de la ville voisine d'Englewood, les Three Flashes. « Frank nous tournait autour comme si on était des dieux, raconte le baryton du trio, Fred Tamburro, à Kitty Kelley. Nous, on l'a pris avec nous pour une raison bien simple : le petit Frank avait une voiture. » Quand on proposa aux Three Flashes – tous des gamins italiens qui cherchaient à se lancer – de passer dans des courts métrages pour Major Bowes, dont l'émission radiophonique *Amateur Hour* connaissait un succès sans pareil, Sinatra voulut chanter avec eux. Ils refusèrent. Dolly intervint aussitôt et il ne fallut pas longtemps aux Three Flashes pour devenir les Hoboken Four. Le 8 septembre 1935, ils passèrent dans l'émission, reprenant *Shine*, le tube des Mills Brothers. Le Major Bowes avait ouvert la soirée par la formule traditionnelle de l'émission, formule qui tenait les auditeurs en haleine, aiguisait leurs espoirs, donnait au programme et procurait à la société américaine tout entière l'exaltation d'un *sweepstake* [1]. « Ce soir encore notre roue de la fortune va tourner, tourner, disait-il. Quand s'arrêtera-t-elle ? Nul ne le sait. » Les premiers mots de Sinatra au public furent à la fois francs et bon enfant. Ils firent rire. « Major, je m'appelle Frank. On cherche du boulot. Qu'est-ce que vous en dites ? » Les Hoboken Four gagnèrent ce soir-là avec quarante mille appels, le meilleur score de toute l'histoire de l'émission.

À partir de ce moment-là, le public se prit pour Sinatra d'une affection sans bornes, celle qu'il ne put jamais susciter chez sa mère. « Elle attendait toujours plus de lui, raconte Nancy Sinatra Sr. Ce n'était

jamais assez. Elle n'était jamais satisfaite. Il était difficile de lui plaire. » Lauren Bacall, dont les fiançailles avec Sinatra dans les années cinquante furent de courte durée, se souvient : « Quand j'étais avec lui, j'ai toujours eu l'impression qu'il ne pouvait pas supporter sa mère. Par moments, il était incontrôlable. Il explosait. Tout ce qu'on voyait, c'est qu'il n'y avait rien de bon dans tout ça. » Aux yeux de Dolly, son fils ne pouvait rien faire de mal mais ne faisait rien de bien non plus. « Elle était dure avec lui, atteste la romancière Leonora Hornblow, une amie de Sinatra. Elle l'adorait. Elle était très fière de lui, mais elle ne le disait jamais. » Dolly voyait sa réussite, mais elle n'a jamais vu l'homme ; Sinatra en rit des années plus tard quand, après la mort de Marty, il l'installa dans sa fastueuse propriété de Rancho Mirage, en Californie (Dolly disposait d'une maison avec cinq chambres à coucher, d'un cuisinier, d'un jardinier, de trois femmes de chambres et de plusieurs gardes de sécurité). « Elle se prenait pour une huile, déclare Sinatra en 1975 dans une interview télévisée. Si elle était avec nous aujourd'hui, voulant parler de moi, elle dirait "Frank Sinatra", quand bien même je serais assis à côté d'elle. »

Au-delà du talent, au-delà de la technique, le pouvoir palpable mais invisible de

---

1. Loterie où l'attribution des prix dépend à la fois d'un tirage et du résultat d'une course. (N.d.T.)

Sinatra et son idole, Bing Crosby.
« Je savais qu'il fallait que je sois chanteur.
Mais je n'ai jamais voulu chanter comme
lui. Tous les gosses du quartier fredonnaient à la Crosby. Ma voix était bien plus
haute. Je me suis dit : "Ce n'est pas pour
moi. Je ne veux pas être ce style de chanteur." » Il n'en fut pas moins présenté
comme le « nouveau Bing Crosby des ondes
du New Jersey » lors de ses premiers pas-
sages radio.

toutes les grandes stars naît du besoin d'être vu et d'être présent dans l'imaginaire du public. Cela est particulièrement vrai pour Sinatra. Le calme, l'attention et l'adoration sans équivoque dont n'a jamais témoigné Dolly étaient indéniables dans l'enthousiasme émerveillé de ses auditeurs. « Merci de m'avoir laissé chanter pour vous. » C'est par ces mots que Sinatra terminait souvent ses spectacles. Sinatra vivait pour chanter. Son désir de communiquer avec son public et d'être porté par lui dégageait une énergie étonnante autant dans la salle que sur scène. « Difficile de dire où il puisait toute son énergie, écrit Shirley MacLaine dans *Les Stars de ma vie*. Je crois que ce n'était pas uniquement de la volonté ou de l'ambition, ni la peur panique d'être laissé à la traîne. C'était plutôt l'idée de rester un enfant en perpétuelle représentation, qui veut faire plaisir à son premier public, sa mère. » Bing Crosby remarqua un jour que Sinatra avait un don unique pour installer « une atmosphère quand il chantait ». Il établissait un climat de complicité confinant à l'intimité. « La fidélité de leur affection, qui lui était capitale, n'a jamais fait aucun doute pour lui, écrit Shirley MacLaine. Son public lui était acquis, tout entier et sans réserves. Jamais il n'aurait toléré que leur attention, ou leur regard, se

détournât de lui. » Il n'était pas rare que des spectateurs anonymes quittent la salle persuadés qu'il n'avait chanté que pour eux, ce qui prouve à quel point il avait la confiance de son public. Dans une chanson, il donnait le meilleur de lui-même et il adorait voir cette générosité se refléter dans les yeux de son auditoire rempli d'adoration. « Il ne survivait que par le regard de sa mère, écrit Shirley MacLaine qui partait souvent en tournée avec Sinatra. Il avait désespérément besoin qu'elle l'aime, qu'elle l'apprécie, qu'elle le reconnaisse, et qu'elle ne trahisse jamais sa confiance. Du coup il la cajolait, la manipulait, la câlinait, la réprimandait, la grondait et l'adorait sans condition jusqu'à ce qu'il n'y ait plus la moindre distance entre elle et lui. Elle et lui ne faisaient plus qu'un. » Dans la vie, ses amis avaient surnommé Sinatra « le Châtelain » en raison de ses largesses et de son hospitalité. Sur scène, il agissait plus ou moins de la même façon. Il donnait aux autres pour être sûr de recevoir ce dont lui-même avait besoin.

« FRANK EST UN CHANTEUR comme on n'en voit qu'un dans une vie. Pourquoi a-t-il fallu que cela tombe sur moi ? », plaisanta un jour Bing Crosby. La voix de Sinatra était moins puissante et plus claire que celle de Crosby mais, comme l'observa Whitney Balliett dans le *New Yorker*, « son phrasé et son sens parfait du rythme lui ont donné une assurance et une stature qui manquaient à Crosby ». L'impact phénoménal de Sinatra n'était toutefois pas seulement lié au rythme de la musique mais aussi au rythme de la technologie dont le pays était saturé. Comme le nota Henry Pleasants dans son livre *The Great American Popular Singers*, en 1930, dix ans seulement avant que Sinatra se fasse un nom, le crooner en titre, Rudy Vallee, balança le mégaphone qui avait jusqu'alors popularisé son style pour relier un micro emprunté à la NBC aux amplificateurs et aux radios qui se trouvaient sur le plateau, créant ainsi une forme élémentaire d'amplification. (« Je chante avec ma queue dans la voix. » Voilà comment Vallee, d'une grossièreté notoire, expliquait son charme.) Le manque de sophistication des techniques d'amplification avait contraint les chanteurs à forcer dans les aigus pour être entendus et passer au-dessus des orchestres de jazz. L'usage du microphone changea tout. Il mit en avant l'intimité et l'expressivité dans la chanson populaire. Rendant ainsi possible un tout nouveau style d'interprétation, il remisa les braillards d'une époque révolue – Al Jolson, Sophie Tucker – dans les placards de l'Histoire. (De même, la nouvelle amplification modifia la section rythmique des orchestres, la basse remplaçant désormais le tuba et la guitare rythmique le banjo.)

Sinatra avait lui-même fait ses débuts avec un porte-voix (« Les gars essayaient de balancer des pièces dedans », raconta-t-il un jour), mais le microphone devint rapidement son symbole. « J'utilise toutes les modulations de timbre que ma voix peut m'offrir, expliqua-t-il. Le microphone capte la moindre nuance, un murmure. » Pour Sinatra, le microphone est aussi réel qu'une fille qui attend un baiser, écrit E. B. Write dans le *New Yorker*, en 1952. « Il y a des tas de chanteurs qui n'ont jamais appris à s'en servir, disait Sinatra. Ils n'ont jamais compris et ne comprennent toujours pas que le microphone est leur instrument. » Ava Gardner le remarque justement dans son autobiographie : « Sa capacité de flirter avec toute la salle est un des premiers dons d'interprète de Frank. » Tenant le micro devant lui de ses deux mains, le balançant négligemment de temps à autre, Sinatra s'en servait comme d'un accessoire dans une sorte de joute préliminaire. « Il ne faut pas en faire trop, il ne faut surtout pas agacer le public avec... Il faut savoir quand s'écarter du micro et quand y revenir », confia-t-il à *Life*.

Sinatra et Tommy Dorsey. « Tommy aimait
bien les vocalises. Parce que l'instrument
dont il jouait avait les mêmes propriétés
physiques que la voix humaine. »

Et d'ajouter : « Comme une geisha qui joue de son éventail. »

Sinatra fut un précurseur qui profita de toutes les innovations qui déferlaient dans le domaine du son et qui faisaient la part belle à la chanson dans la vie quotidienne américaine. « Je vais devenir le plus grand chanteur de tous les temps, annonça-t-il à son ami le compositeur Sammy Cahn qui l'accompagnait au Rio Bamba, un bar en vue, un certain soir de mars 1943. Ce soir-là, un pas fut franchi : ce n'était plus des adolescentes en socquettes qui étaient transportées mais des adultes. En coulisses, après la première, Sinatra se jette dans les bras de Cahn. « Qu'est-ce que je t'avais dit ? Qu'est-ce que je t'avais dit ? » Selon Nick Servano, l'homme de confiance de Sinatra pendant sa fulgurante ascension, Sinatra « était comme un poids lourd lancé à 200 à l'heure dans une descente sans les freins ». Servano poursuit : « Il me faisait travailler jour et nuit. "Appelle Frank Cooper. Maintenant. N'attends pas demain matin. Envoie mes photos de pub à Walter Winchell. Fais porter mes disques pour le hit-parade de Lucky Strike. Appelle la Columbia Records. Dis-leur que je chanterai celle-ci et celle-là." Frank connaissait toutes les ficelles de la promotion et savait comment se vendre. Il ne s'arrêtait jamais.

Pas une minute. » Avant même d'avoir percé, Sinatra avait compris la magie de la radiodiffusion. « Il fit une enquête informelle sur les habitudes des auditeurs qui aimaient écouter les chanteurs à la radio et en conclut qu'on pouvait les classer en quatre groupes : les lève-tôt, les adeptes du radio-déjeuner, le gang du radio-thé et les insomniaques », écrit E. J. Kahn dans un portrait en trois volets de Sinatra qu'il rédige pour le *New Yorker* en 1946. « Il réussit à se faire introduire auprès des responsables de trois stations locales et offrit de chanter gratuitement sur les ondes. Les trois acceptèrent la proposition et il en vint bientôt à chanter dix-huit fois par semaine – à l'aube, à midi, à cinq heures de l'après-midi, puis dans les bars, un peu plus tard dans la soirée. (Une station lui donnait soixante-dix cents par semaine pour ses frais de transport.) » Sinatra voulait être partout à la fois. La technologie découvrait de nouveaux modes de diffusion de la voix et, grâce à elle, son rêve faustien devenait réalité. En dehors des estrades d'orchestre, du plancher des boîtes de nuit et de la voie des ondes s'offraient à lui plein de nouvelles vitrines. En 1938, d'après la Federal Communication Commission, plus de la moitié des programmes diffusés était des enregistrements de musique populaire. En

1933, on recensait vingt-cinq mille juke-boxes dans le pays. En 1939, on en comptait deux cent vingt-cinq mille, puis quatre cent mille en 1942. L'autoradio, lancé en 1923, accessoire de série en 1934, transforma complètement l'approche de l'automobile. Les ventes de disques, tombées à cinq million cinq cent mille au plus fort de la dépression, remontèrent à quarante-huit millions quatre cent mille en 1940. En 1945 – Sinatra était alors connu dans tout le pays –, elles atteignirent le record absolu de cent neuf millions. Le Muzak [1], testé avec succès dans les halls et les salles à manger des hôtels en 1934, faisait partie intégrante de la vie industrielle en 1940, au moment où l'Amérique s'apprêtait à entrer en guerre. Tout le monde étant désormais convaincu que la musique sur le lieu de travail augmente le confort et l'efficacité, le Muzak trouva partout sa place dans les usines pour accroître la productivité. À l'époque où Sinatra sortait de son bref apprentissage de chanteur de ballades, se produisait en tournée avec des orchestres de danse et commençait à passer en solo, la technologie était en place pour que le sortilège opère. Le phéno-mène Sinatra, que la presse appela la « Sinatrauma », offrait pour la première fois dans ce siècle la vision déconcertante d'une société sous le charme.

AU DÉBUT, SINATRA était plus confiant dans ses talents de charmeur que ne l'était le trompettiste Harry James, dont l'orchestre essayait de percer et qu'il accompagna en tournée pendant six mois. La chanteuse Lois Tobin, Mme James à l'époque, qui avait entendu Sinatra à la radio, lui suggéra de faire un détour par la route 9 W sur Englewood Cliffs. Quand James arriva au Rustic Cabin accompagné de sa nouvelle chanteuse, Connie Haines, il demanda au patron de la boîte s'il avait un chanteur. James entend encore le patron dire : « On n'a pas de chanteur mais on a un animateur qui pousse la chansonnette. » James resta écouter l'animateur chanter. « Eh bien, quelle voix ! » Connie Haines se souvient des premiers mots que James adressa au jeune Sinatra, après l'avoir invité à leur table pour lui offrir son premier vrai tremplin. « Il va falloir changer de nom." Frank a resserré sa cravate et a tourné les talons. "Vous voulez la voix, vous prenez le nom." C'est la vérité. J'étais là. James voulait rebaptiser Sinatra "Frankie Satin". » Connie Haines

---

1. Marque déposée. Procédé de diffusion de musique d'ambiance. (N.d.T.)

Harry James (premier rang, au centre) et son orchestre en 1939. Sinatra et Connie Haines entourant le trompettiste efflanqué avec qui ils firent une tournée de six mois. « Chanter dans un orchestre, c'est comme faire des haltères, disait Sinatra. Il faut se conditionner. Pour l'expérience professionnelle, il n'y a rien de tel que les concerts d'un soir. Votre vie se résume à cinq lieux différents : le car, votre chambre d'hôtel, les restaurants minables, la loge - quand il y en a une - et la scène. Et vous revoilà sur la route pour le concert du lendemain, à six cents kilomètres de là, voire plus encore. »

se rappelle que Harry James « a envoyé le patron chercher Frank. (Chacun avait son amour-propre.) Frank est revenu. Harry a dit : "Garde ton nom, garde ton nom." Frank est entré dans l'orchestre dès le lendemain. On a donc eu un chanteur et une chanteuse. » Connie Haines raconte : « Il était maigre, le visage plein de cicatrices, et j'en passe, mais il dégageait un sacré sex-appeal. Il restait distant à leur égard, l'air de dire : "Je suis le plus grand, je suis le meilleur, essayez donc de m'atteindre." C'était sa façon d'être. Moi, j'avais seize ans et je me suis dit : "Ça alors, j'ai comme une drôle de sensation…" » D'après la biographie de Sinatra par Earl Wilson parue en 1976, quand *Down Beat* demanda à James le nom de son nouveau chanteur, celui-ci répondit : « Pas si fort ! Le petit s'appelle Sinatra. Il se prend pour le plus grand chanteur du circuit. Personne n'a entendu parler de lui, il n'a pas fait un tube, il a la tignasse en paquets, mais il dit qu'il est le meilleur. S'il entend que vous lui faites des compliments, ce soir il va demander une augmentation. » Les six mois que Sinatra passa avec Harry James, au cours desquels le premier tirage de leur titre le plus mémorable *All or Nothing at All* ne se vendit qu'à huit mille exemplaires, furent passionnants mais peu rentables. Sinatra, qui avait épousé Nancy en février 1939, sillonnait les routes avec sa jeune épouse enceinte et façonnait son image d'idole. « Sinatra a beaucoup appris avec Harry, raconte Lois Tobin à Will Friedwall dans *Sinatra! The Song Is You.* Il a beaucoup appris sur la direction d'orchestre et sur le phrasé. Je sais qu'ils avaient beaucoup d'admiration l'un pour l'autre. » Sinatra salua « le véritable savoir-faire de musicien » que possédait James et qualifia ces six mois avec l'orchestre de « magnifique expérience ». Mais d'après un sondage de *Down Beat*, en décembre 1939, l'orchestre d'Harry James était tombé à la douzième place du hit-parade des orchestres de danse. Sinatra cherchait une porte de sortie. Le même mois, il apprit que le numéro un des chefs d'orchestre du pays, Tommy Dorsey, allait passer au Rustic Cabin ; il s'arrangea pour être l'invité d'honneur. « Une fois dans ma vie, j'ai vu qu'il pouvait m'arriver quelque chose et j'ai essayé de l'exploiter, admet Sinatra. C'était de chanter avec l'orchestre de Tommy Dorsey. Je voulais y arriver à tout prix. »

En janvier 1940, Sinatra quitta le navire. James eut la courtoisie de rompre son contrat. « Nancy était enceinte. Nous ne gagnions même pas assez d'argent pour donner à Frank les soixante-quinze dollars qu'on lui devait, précisa James lors d'une interview radiophonique. Il a donc suivi Tommy Dorsey. Je lui ai dit : "Bon, si on ne fait pas mieux dans les six mois qui viennent, tu peux me faire signe, toi aussi." » Sinatra avait flirté avec plusieurs grands orchestres. « Je mourais d'envie de rejoindre Glenn Miller, et il m'avait dit qu'il me prendrait, mais à l'époque il ne mettait pas le chanteur en vedette, déclara Sinatra à *Life* en 1971. Ses arrangements musicaux prenaient largement le pas sur le chanteur. J'ai souvent pensé à quel point les choses auraient pu être différentes si j'avais suivi Miller. Je ne serais sûrement pas là ce soir, ça c'est sûr. » Sinatra entra dans l'orchestre de Tommy Dorsey pour cent dollars par semaine. Il remplaça le populaire Jack Leonard qui venait de partir au service militaire. « C'était comme de changer d'école, expliqua Sinatra sur son entrée dans l'orchestre de Dorsey. J'allais rencontrer tout un groupe de nouveaux et n'étais vraiment pas rassuré. J'ai dû improviser sur un ou deux titres, mais ça a bien marché avec le public. Tout l'orchestre me battait froid. Ils adoraient Jack Leonard. Je crois qu'ils se disaient : "Alors, voyons un peu ce qu'il sait faire." » Quand Sinatra fit ses débuts à New York au Paramount, en

mars, Leonard en personne, accompagné du trompettiste Pee Wee Erwin et du pianiste Joel Herron qui lui composa plus tard *I'm a Fool to Want You*, se déplaça pour entendre le nouveau chanteur de Dorsey. Herron, qui était assis devant entre Leonard et Erwin, dit à Will Friedman : « On était surtout venus pour voir le môme se faire massacrer. L'orchestre s'est installé et a joué le thème de *Sentimental over You*. Dorsey s'est avancé et a annoncé : "Sans plus attendre, nous voulons vous présenter notre nouveau chanteur, Frank Sinatra, interprétant notre grand succès *Who*", un titre que Leonard avait enregistré en 1937. Quand le petit est arrivé au pas de course, on était tous persuadés qu'il allait se ramasser. Mais quand il s'est mis à chanter, je me suis fait tout petit dans mon siège. J'avais honte pour Leonard qui venait de rétrograder à la dernière page des faits divers. »

« On se sentait pris par l'enthousiasme qui montait de la salle quand ce môme se levait pour chanter », témoigna Dorsey. Sinatra le fit parrain de son premier enfant. Il apprit beaucoup au chanteur en matière de style. « Interpréter et non réciter. » « Il ne faut pas oublier que ce n'était pas un séducteur. C'était un gamin maigrelet avec de grandes oreilles. J'étais tellement médusé que j'en oubliais de jouer mes

Pages précédentes : un tympan percé empêche Sinatra de quitter sa tenue de civil pendant les années de guerre, ce que beaucoup lui reprochent, à l'armée comme dans les foyers américains, mais ce qui ne semble pas gêner ces marins et ces soldats. Après la guerre, cependant, on a pu souvent voir Sinatra en uniforme dans des films comme *It Happened in Brooklyn*, *From Here to Eternity* et *Kings Go Forth*.

propres solos. » En fait, le secret de l'impact vocal de Sinatra venait d'abord de ses observations du jeu de Dorsey au trombone. « Dorsey choisissait une phrase musicale et la jouait en entier sans qu'on le voie reprendre son souffle pendant huit, dix, parfois même seize mesures. Mais comment pouvait-il faire ça ?, explique Sinatra à sa fille Nancy, dans le livre *Frank Sinatra : une figure de légende*. Je m'asseyais derrière lui avec l'orchestre, je l'observais pour le pincer en train de respirer mais son dos n'a jamais trahi le moindre mouvement de respiration. Sa veste ne bougeait pas d'un pli. Du coup, je faisais légèrement pivoter ma chaise sur le côté et je l'observais à la sauvette. À force, j'ai fini par découvrir qu'il avait comme un trou d'épingle au coin de la bouche. Pas vraiment un trou, plutôt un tout petit espace qui laissait passer un filet

d'air. Au milieu de la phrase, alors que le trombone tenait la note, il laissait échapper un *"shhh"*, inspirait rapidement et tenait quatre mesures de plus… »

Dorsey aimait dire qu'il avait appris à Sinatra, selon ses propres mots, « à porter une ballade ». Les deux années pendant lesquelles Sinatra tourna avec l'orchestre firent sa véritable éducation musicale. « J'allais souvent les voir quand ils donnaient une représentation unique à Roseland, se souvient Sinatra. Je restais planté devant l'estrade et regardais avec quelle finesse Tommy dirigeait les chanteurs. Ils étaient mis en vedette en quelque sorte. Ce n'était pas le schéma habituel : introduction, partie chantée et fin sur l'orchestre. Non. Le chanteur se levait pour le premier chorus, l'orchestre jouait la partie instrumentale, revenait sur le thème, et le chanteur finissait le morceau. » Sinatra poursuit : « Tommy aimait bien les vocalises. Parce que l'instrument dont il jouait avait les mêmes propriétés physiques que la voix humaine. » Dorsey peaufina le look de Sinatra, mais aussi sa façon de travailler les paroles.

Dorsey était un perfectionniste. Il poussait les musiciens jusqu'à leur extrême limite. « Il n'était pas du genre à dire : "Pouvez-vous faire ça?" ou "Voudriez-vous essayer ?" Non. Il commandait : "Tu le fais" », rapporte le batteur de Dorsey, Alvin Stoller. Et de conclure : « En fin de compte, on finissait par faire des choses dont on ne se serait jamais cru capable. » Sinatra se rendait compte que la conjonction entre la réaction du public et la rigueur de Dorsey l'obligeait à travailler davantage. « La réaction du public prouvait qu'il m'aimait bien, dit-il. Je ne savais pas d'où venait cette réaction. Je n'avais pas encore trouvé ma voix. J'essayais différents phrasés, je cherchais les chansons qui m'allaient le mieux. » Toujours plus obsédé par la fluidité de son style, Sinatra tirait parti de ce que Dorsey tentait d'insuffler à tous ses instrumentistes.

Arthur Herfurt raconte à Will Friedwald : « Tommy demandait parfois à tous les musiciens de l'orchestre, pas seulement aux trombones, de jouer une page de partition du début à la fin sans reprendre leur souffle. C'était plus de mesures qu'il n'en fallait ! Mais c'est certain, c'est ainsi que j'ai développé ma cage thoracique. » Sinatra l'imita. « J'ai commencé par aller à la piscine du Stevens Institute of Technology chaque fois que je le pouvais. Je faisais des longueurs sous l'eau. Les gars me demandaient : "Ça t'arrive de nager au-dessus ?" Je leur répondais : "Non, j'ai mes raisons, mais vous n'en saurez rien." En fait, c'était un moyen de me développer. J'étais vraiment fluet. Je faisais dans les soixante kilos et il fallait que je m'étoffe encore un peu. J'ai fait beaucoup d'exercice. De la course à pied, ce genre de sports. »

Sinatra se mit aussi à écouter sérieusement des musiciens de jazz et de musique classique. « C'est Billie Holiday, que j'ai entendue pour la première fois dans les clubs de la 52e Rue au début des années trente, qui a exercé et a encore la plus grande influence musicale sur moi. » Comme elle, il devint un orfèvre du style intimiste. Sinatra emprunta aussi à la clarté et au style de Mabel Mercer, selon lui la « meilleure professeur au monde ». « Tous ceux qui ont su se faire entendre dans la chanson vous le doivent, lui écrit-il, mais de tous c'est moi qui ai le plus de chance, car c'est moi qui ai le plus appris. »

À l'époque, Sinatra était aussi fasciné par le violoniste Jascha Heifitz qui pouvait « faire pivoter son archet au milieu d'une phrase et l'étirait jusqu'au bout sans que l'on perçoive la moindre pause dans le mouvement, comme il le dit à Arlene Francis. Je me disais que si on pouvait faire ça avec un instrument – le violon et la flûte étaient deux bons exemples –, pourquoi ne pas en faire autant avec la voix humaine ? Ça n'a pas été sans mal. Il m'a fallu faire beaucoup de gymnastique et d'exercices physiques pour développer ma cage thoracique. »

Sinatra se mit à jouer de sa voix comme Dorsey jouait de son trombone. « Environ six mois plus tard, j'ai commencé à mettre au point et à améliorer une méthode de phrasé long. Au lieu de ne chanter que deux ou quatre mesures d'affilée, comme la plupart des autres gars, j'arrivais à tenir six mesures, voire huit dans certaines chansons, sans laisser voir ou entendre le moindre signe de respiration. Cela donnait à la mélodie un coulé, une fluidité et me conférait un style différent. » Ce son étonnait même les professionnels. « Après les huit premières mesures, j'ai compris que j'étais en train d'écouter quelque chose que

Sinatra exploitait son succès comme aucun autre interprète. On le voit ici à Steel Pier, (Atlantic City) en compagnie de la toute jeune actrice Vicki Gold fêtant ses dix ans de spectacle. Les cartes postales qui recouvrent les États-Unis ne représentent qu'une infime partie des milliers de témoignages reçus de ses admiratrices à cette occasion. Pourtant, à cette époque, le déclin de Sinatra était déjà amorcé, engendré par sa mauvaise conduite et dû à l'inconstance d'une culture de masse qu'il a lui-même contribué à inventer.

je n'avais jamais entendu auparavant», me raconta Jo Stafford, qui n'avait jamais vu ou entendu Sinatra avant de le retrouver sur scène avec les Pied Pipers pour ses débuts avec Dorsey. « Frank avait une voix telle-ment suave, posée, romantique », souligne le parolier et chef d'orchestre Saul Chaplin. Ce dernier, qui remporta deux oscars pour son travail sur les films de Sinatra, *High Society* en 1956 et *Can-Can* en 1960, écrivit pour la voix de Sinatra au début de sa longue carrière avec son collaborateur Sammy Cahn. « On l'écoute sans avoir à faire le moindre effort. Avec les autres chanteurs, l'écoute est consciente. Avec Frank, on se laisse envahir. » Chaplin pré-cise : « À l'époque déjà, il avait un truc qui rendait une chanson beaucoup plus émou-vante. Prenons le mot "mine" (Prononcez [Majn]. N.d.T.) par exemple. La plupart des gens prononcent *MIne* – ils s'attardent sur le "i". Avec Frank, ça donnait *MinE*. Il s'attardait sur la consonne. C'est intéressant car la plupart des chanteurs ne font pas ça. Ils pensent que le son de la voyelle est beau-coup plus important que le son "n". Mais vous voyez, on peut prononcer le son "n" beaucoup plus doucement, ce qui per-met de tenir la phrase et d'enchaîner tout de suite. » « Sinatra a apporté une fluidité à son style et a ménagé une continuité à

son avenir dans le show-business. Il avait cette étincelle. Il croyait vraiment en lui, raconte Sy Oliver, l'arrangeur de Dorsey. On savait qu'un jour ce serait un grand. Quand il s'avançait sur la scène, il était remonté à bloc. Tommy était comme ça, lui aussi. »

S'il y eut un moment charnière où le Sinatra nouveau style intégra l'orchestre de Dorsey, ce fut bien leur première apparition dans un club new-yorkais, en mai 1940, pour la réouverture de l'Astor Roof, un night-club très à la mode. Benny Goodman et Oscar Levant faisaient partie des nom-breuses vedettes présentes qui écoutèrent Sinatra clore le programme sur sa version de *Begin the Beguine*. Le public en voulait encore et Dorsey avait beau apprécié d'être porté par cette vague de reconnaissance, il n'avait plus aucun titre pour Sinatra dans ses partitions. Il demanda à l'orchestre *Polka Dots and Moonbeams*. Après quatre mesures d'introduction, il passa directement au cho-rus du milieu. « La salle était en délire, se rappelle le pianiste Joe Bushkin. Dorsey dit alors à Sinatra : "Chante celle que tu veux avec Joe." » Bushkin et Sinatra entamèrent un duo piano-voix qui cloua sur place les danseurs de fox-trot, mais prit à contre-pied ce pianiste de vingt-trois ans. « En même temps qu'on jouait, j'essayais de deviner sa tessiture, raconte Bushkin. J'ai réfléchi vite fait : "Voyons, il monte jusqu'où ? Si j'arrive à trouver ses aigus, les graves suivront." » Ils ont joué quelques titres dont *All the Things You Are*. Bushkin continuait de souffrir. Et le pianiste de poursuivre : « Puis il s'est tourné vers moi et a annoncé *Smoke Gets in Your Eyes*. "Eh, tu la connais celle-là, tu sais que tu peux te planter sur le chorus du milieu. À moins de savoir vraiment ce que tu fais, tu vas te planter sur le changement de ton, et personne ne viendra à mon secours." Tout ce dont je me souviens, c'est que j'entends Frank en train de la chanter tout seul, *a capella*. J'étais vraiment mal à l'aise. Bon sang, tous les gars me regardaient. Du coup, je me suis retourné et je me suis éloigné du piano ! Ça a été la dernière chanson de la soirée. J'ai cru que j'allais me faire tuer par Tommy, mais il a trouvé ça tellement drôle. » Et Bushkin de conclure : « C'est ce soir-là que Frank Sinatra a percé. »

En effet, il perça rapidement. En quinze mois, entre 1940 et 1941, Sinatra enregistra vingt-neuf singles avec Dorsey. Il apparut avec lui et son orchestre dans deux films, *Las Vegas Nights* et *Ship Ahoy*. Il coécrivit et enregistra *This Love of Mine*. *Billboard* le sacra en 1941 meilleur chanteur masculin de l'année. Sinatra envisageait déjà l'énorme pari d'une carrière en solo. De

passage à Los Angeles, au Hollywood Palladium, il alla saluer Sammy Cahn et Saul Chaplin qui avaient leur bureau en face, à la Columbia Pictures. « Sa personnalité était la même qu'aujourd'hui, sinon qu'il avait acquis un peu plus de vernis et de tact. Pas beaucoup plus, écrit Chaplin dans *The Golden Age of Movie Musicals and Me*. C'était un garçon extrêmement loyal, généreux, arrogant, insolent, et un fervent défenseur des opprimés. » À l'époque, d'après Chaplin, Sinatra « n'arrêtait pas de parler de sa carrière ». Dans son livre, Chaplin explique que « les gosses s'agglutinaient devant la scène pour le voir chanter. Leur concert de "Oh" et de "Ah" emplissait déjà la salle. Lui était de plus en plus impatient, assis sur l'estrade, en attendant sa partie. Il n'aimait pas être obligé de chanter dans le tempo à seule fin de ne pas déranger les danseurs. La question était : "Pouvait-il s'en sortir seul ?" On décida que c'était un peu trop tôt. Il lui fallait encore quelques tubes avec Dorsey. Il avait déjà sorti *South of the Border* qui avait attiré plus de fans qu'il n'en avait jamais eus. Il était d'accord. Environ six mois plus tard (*I'll Never Smile Again* date de cette période), il finit par le quitter… »

C'était une décision difficile à prendre. « J'aimais et j'admirais le bonhomme,

déclare Sinatra à propos de Dorsey. C'était un bourreau de travail et un musicien brillant. J'aimais cette façon qu'il avait de nous faire marcher droit. Mais c'était aussi un homme qui détestait l'idée qu'un membre de son orchestre puisse le quitter. Il voulait que l'orchestre reste soudé. Ce que je comprenais, car l'orchestre était entraîné comme un régiment, et l'arrivée de nouveaux nous obligeait à répéter jusqu'à ce que les gars soient intégrés. Mais je gagnais cent cinquante dollars par semaine et ne me voyais pas d'avenir. » En septembre 1941, Sinatra donna un préavis d'un an à Dorsey. « Je lui ai dit : "Tom, je quitte l'orchestre dans un an, jour pour jour." Tommy m'a répondu : "C'est ça." Voilà tout. » Trois mois avant son départ, Sinatra suggéra à Dorsey de prendre Dick Haymes pour le remplacer. Dorsey lui répondit : « Non, non et non. Tu ne vas pas quitter cet orchestre. Ce n'est pas aussi facile que tu le crois. » Sinatra et Dorsey se séparè-

Sinatra fustigeait les journalistes qui écrivaient la chronique de son déclin. Au printemps 1947, il fut jugé pour coups et blessures sur la personne du chroniqueur du *Daily Mirror*, Lee Mortimer (à droite) et dut verser une amende de vingt-cinq mille dollars.

43

rent officiellement le 3 septembre 1942, au cours d'une émission d'adieu dans laquelle Sinatra passa le relais de la voix masculine à Dick Haymes. Il avait déjà pris la place de Sinatra lorsque celui-ci avait quitté Harry James ; il fit de même avec Dorsey, rejoint depuis six mois. « Je m'en souviens. Frank a quitté l'orchestre au Circle Theatre d'Indianapolis, rapporte Stitch Henderson à Will Friedwall. J'étais avec Jimmy Van Heusen quand le téléphone a sonné ce soir-là. C'était Frank : "Le vieux m'a botté les fesses avec son trombone pour la dernière fois. Je quitte l'orchestre." »

Se libérer de Dorsey se révéla plus difficile que Sinatra l'avait naïvement imaginé. Presque un an après son départ, Dorsey continuait d'encaisser le pourcentage exorbitant de quarante-trois pour cent sur les recettes de Sinatra. Bien entendu, Sinatra se rebiffa. Il se moqua de Dorsey, le traitant de magouilleur en public, et tourna en dérision leur différend dans un gag radiophonique à épisodes. Dans un sketch pour *Broadway Bandbox* en 1943, Sinatra et le petit comique burlesque Bert Wheeler attendent un appel. À la place, on leur passe le thème de Dorsey, *Sentimental over You*, interprété sur un trombone désaccordé. « C'est Dorsey qui vient encaisser sa commission ! », hurle Wheeler. Et Sinatra

de rétorquer : « Encore ! » Même le ventriloque Edgar Bergen et sa marionnette Charlie MacCarthy imitaient les blagues Sinatra-Dorsey à la fin de 1945. Charlie MacCarthy demanda un jour à Sinatra s'il pouvait être son manager. Sinatra lui répondit : « Pourquoi pas vous ? J'ai déjà un pantin. »

Le phénomène Sinatra en solo commença officiellement le 30 décembre 1942, au Paramount Theatre de New York, trois mois seulement après sa rupture houleuse avec l'orchestre de Dorsey. « J'espère que tu vas te ramasser » ; voilà ce que Dorsey décocha à Sinatra en guise d'adieu, lequel, aidé de sa nouvelle agence, avait combiné le rachat cash de son contrat. « Quand j'ai quitté Tommy, ce fut calme pendant quelques mois. » Il installa alors prématurément sa famille à Hollywood, puis se remit au travail et se produisit dans plusieurs salles du New Jersey où les filles se pâmaient d'admiration. Ses agents réussirent à faire franchir l'Hudson aux directeurs des grandes salles de New York pour ses spectacles les plus importants. Pour son anniversaire, le directeur du Paramount, Bob Weitman, vint écouter Sinatra au Newark Mosque, mais il ne prit pas le chemin des coulisses. Sinatra évoqua ce moment dans sa conférence à Yale : « J'étais rentré chez moi. Il sonne à la porte et me dit – la phrase est célèbre – "Qu'est-ce que vous faites la veille du Nouvel An ?" Je réponds : "Rien de rien. Pas moyen de trouver un seul contrat quelque part. Pas moyen de trouver un seul endroit où passer." Il me dit : "Comprenez bien, le matin du 31 décembre. Et les semaines d'après ?" Je ne dis rien. Il me dit : "Je voudrais que vous fassiez l'ouverture du Joint." C'est comme ça qu'il appelait le Paramount, "le Joint". "Vous voulez dire pour la veille du Nouvel An ?" "C'est bien ça. Le matin, vous avez l'orchestre de Benny Goodman et un film de Crosby." J'en suis tombé à la renverse ! Je n'arrivais pas à croire ce qu'il venait de me dire, me retrouver dans une telle situation ! À l'époque, on était en supplément au programme. Je suis arrivé à la répétition à sept heures et demie du matin. J'ai regardé l'enseigne au néon sur Broadway. J'ai lu "Invité exceptionnel : Frank Sinatra" et je me suis dit "Wouah !" »

Pour rendre service à la direction et à Benny Goodman, le comédien Jack Benny accepta de présenter Sinatra, un chanteur pour lui inconnu : « J'étais loin de penser que Sinatra arriverait à quelque chose ; je n'avais jamais entendu parler de lui. Donc, j'ai sorti deux ou trois blagues et ils ont ri. J'ai réalisé qu'il y avait beaucoup de jeunes dans la salle et qu'ils étaient sûrement là pour Sinatra. Je l'ai donc présenté comme si c'était un de mes meilleurs amis. Puis, j'ai dit : "Bon, quoi qu'il en soit, mesdames et messieurs, le voici : Frank Sinatra." J'ai cru que ce satané immeuble allait s'effondrer. Je n'avais jamais entendu pareil vacarme, le public se ruait sur la scène en hurlant, ils ont failli me faire tomber. Tout ça pour un gars dont je n'avais jamais entendu parler. » Dans tout ce tumulte, quelqu'un a entendu Benny Goodman crier : « Mais c'est quoi ce tapage ? » Sinatra fit son entrée en scène dans le brouhaha général. « Le vacarme qui m'a accueilli était complètement assourdissant. Cette clameur était impressionnante, se souvient Sinatra. Je ne pouvais pas remuer le petit doigt. J'ai éclaté de rire et j'ai entamé *For Me and My Gal.* » « Ce Sinatra a touché les gosses en pleines tripes, déclara un placeur du Paramount dans une interview après cette première apparition capitale. À la fin de la journée, il y avait plus de pipi sur les sièges et les tapis que dans les toilettes. » Ce fut un moment clé pour Sinatra, un moment qu'il avait soigneusement préparé. « Sinatra a su où il allait dès le premier jour, raconte Frank Military, l'aide de camp de Sinatra pendant près de quinze ans, aujourd'hui vice-président Senior de la Warner Chappell Music. Il avait planifié toute sa vie. Vraiment. Il disait : "Je vais percer tout seul, je vais avoir un contrat d'enregistrement à mon nom, je vais devenir une grande vedette." Lui le disait. Nous, on le croyait. »

Sinatra, qui prit des leçons de chant pour sa gorge, des cours de danse classique pour ses mains et des cours de diction pour son élocution, ne laissa rien au hasard dans sa carrière. « Je croyais à la publicité. C'est la meilleure façon de dépenser de l'argent. » Il engagea un nouvel agent de presse, George Evans, pour attiser les braises de son accueil enflammé au Paramount pendant les huit semaines d'engagement qui lui restaient. « C'est sûr, nous ne sommes pas restés à ne rien faire », racontera plus tard Evans à E. J. Kahn dans son portrait pour le *New Yorker*. Un peu plus tôt, cette année-là, Evans avait mobilisé des fans pour manifester devant les salles où passait Dorsey avec des pancartes du genre : « Dorsey, tu as trahi notre Frankie. » Ces manifestations furent largement couvertes par la presse et embarrassèrent suffisamment « le gentleman sentimental » pour le mener jusqu'à la table des négociations. L'engagement spectaculaire de Sinatra au Paramount témoignait d'un autre des talents d'Evans en matière de psychologie des foules, qui lui

valut en partie d'être distingué en 1943 par *Billboard* pour « la promotion la plus efficace d'une personnalité ». « Les dizaines d'adolescentes qu'on avait payées pour hurler et s'évanouir ont fait exactement ce qu'on leur avait demandé, confirme Jack Keller, l'associé d'Evans, à Kitty Kelley. Mais les centaines d'autres qu'on n'avait pas engagées hurlaient encore plus fort. »

Ces transports retentissants marquèrent le début de l'ère Sinatra. « C'est une réaction spontanée qui ne correspond à aucun phénomène habituel attribuable à une tradition ou à un travail d'interprétation, ni même au sens des paroles », constate un critique dans le *Herald Tribune* à propos de l'hystérie provoquée par Sinatra. Sinatra lui-même était aussi déconcerté que les experts. « Je ne savais pas quoi penser. Je n'avais jamais vu ça… Personne n'avait jamais entendu ce genre de réactions auparavant. » D'autres excellents chanteurs d'orchestre avaient essayé de se lancer en solo et avaient échoué : Jack Leonard, Bob Eberly et, après un bref succès, Dick Haymes. « Aujourd'hui, quand je chante, rien ne vient me déranger. Trente-trois musiciens dans la formation de Dorsey ! Autant rivaliser avec tout un cirque. Maintenant, je suis seul au centre. » Sinatra avait longtemps hésité sur son départ. « Si je vou-

« Swoonatra » : Sinatra sur la scène du Paramount à New York, le 5 novembre 1944, où il avait déjà fait un tabac en 1942. « Jamais, depuis l'époque de Rudolph Valentino les femmes américaines n'ont fait aussi effrontément la cour à une vedette », pouvait-on lire dans *Time.*

Mister Swoon

lais quitter Tommy, c'était parce que Crosby était numéro un, largement au-dessus du lot, explique Sinatra dans sa conférence à Yale. Dans la bataille, si on peut dire, il y avait de sacrés bons chanteurs avec les orchestres. Bob Eberly (avec Jimmy Dorsey) était un chanteur fabuleux. M. Como (avec Ted Weems) chantait merveilleusement bien. Je me suis dit, si je ne fais rien pour me sortir de là, si je n'essaie pas d'y arriver tout seul rapidement, un de ces gars va y arriver, et je devrai me battre contre eux trois pour me faire une place. » Sinatra fut le premier à percer. Son succès fabuleux annonça la fin de l'ère des *big bands* et le début de l'ère des chanteurs en solo. En un mois, ses cachets atteignirent des sommes délirantes, passant de sept cent cinquante à vingt-cinq mille dollars par semaine, mais pas aussi délirantes que ses fans en extase. « Jamais depuis l'époque de Rudolph Valentino les femmes américaines n'ont fait aussi effrontément la cour à une vedette », pouvait-on lire dans *Time*. « Les filles se cachaient dans sa loge, dans sa chambre d'hôtel, dans le coffre de sa voiture, écrit Arnold Show dans sa biographie parue en 1968. Quand il neigeait, les fans se battaient pour ses empreintes. Certaines les rapportaient chez elles et les conservaient dans leur réfrigérateur. » Quand Sinatra repassa

au Paramount Theatre, en octobre 1944, la file d'attente s'allongeait avant l'aube et atteignait rapidement près de vingt mille fans, entassés sur six rangs. Une bonne partie des spectateurs du premier spectacle refusa de quitter la salle. Dehors, la foule frustrée se déchaînait ; on parla plus tard d'émeute de la fête de Christophe Colomb. Deux cents policiers, quatre cent vingt et un agents de réserve, vingt voitures-radio et deux véhicules de premier secours furent appelés sur les lieux pour maîtriser les débordements des filles, la plupart adolescentes.

POUR PLATON, les chansons étaient « des sortilèges jetés sur les âmes pour engendrer la concorde ». Les chansons de charme de Sinatra mettaient du baume au cœur d'une République accablée par les pertes économiques de la dépression et qui se préparait à la guerre. « La chanson populaire possède ce "je-ne-sais-quoi" qui fait oublier aux gens leurs problèmes et les soigne mieux que n'importe quel autre médium », écrivit l'éditeur dans sa préface à *Tips on Popular Song* (1941) que Sinatra coécrivit avec son professeur de chant John Quinlan. « Ne force jamais la voix, les notes de tête finissent par épuiser les cordes vocales », écrit Sinatra. Dans

Mister Swoon

49

Pages précédentes : « C'est une réaction spontanée qui ne correspond à aucun phénomène habituel attribuable à une tradition ou à un travail d'interprétation », constate un critique dans le *Herald Tribune* à propos de l'hystérie provoquée par Sinatra en ce jour de triomphe.

ses chansons, tout au moins, il évitait à tout prix de forcer. « La meilleure définition du style crooner serait celle-ci : ne pas faire de vagues. La voix de Sinatra garde la même ligne et la même tonalité, explique Saul Chaplin. Il n'y a pas de montée en puissance violente ni de descente brutale. L'oscillation des ondes sonores est assez faible. » Sinatra, ou Swoonatra [1] comme on l'avait surnommé, délivrait son message dans des chansons douces qui incitaient plus les citoyens à se pâmer qu'à se révolter. L'ampleur du sortilège s'évaluait non pas en dollars mais à l'aune de toutes les nouvelles expressions forgées à partir de Sinatra ou de *Swoon*. Sinatra devint non seulement un nom à prononcer avec respect, mais fit naître tout un vocabulaire : « le vocabulaire le plus extravagant jamais élaboré autour d'un homme », comme le nota E. J. Kahn.

Parmi les néologismes de la presse, on trouvait Sinatranse, Swoonologie, Swoonatra, Sinatraceptive, Swoonatranse, Sinatramania, Swoonatique, Swoonerie, Sinatractif, Swoonisme, Sinatrisme, Sinatraltitude, Sonatra, etc. Certains experts essayèrent d'élargir le concept Sinatra à des significations dépassant son pouvoir d'enchantement. Dans ses rubriques mondaines, Walter Winchell inventa « Sinatr'd », faisant du nom un verbe au passé qui signifiait « découpé en parts financières ». Dorothy Kilgallen lui attribua le sens de *mobbed,* assailli par la foule. Pour les adolescentes qui s'époumonaient pour lui, il était Frankie. Pour le monde entier, il fut bientôt *The Voice,* la Voix. L'impérialisme de sa notoriété sans frontières se traduisait par cette sémantique. Le langage se pliait à son charme. Le Paramount à New York fut surnommé le Para-Sinatra. Après une infection de la gorge qui le conduisit à l'hôpital du Mont-Sinaï, celui-ci fut immédiatement rebaptisé dans la presse Mont-Sinaïtra ou Mont-Sinatra. Sinatra en personne semblait inspirer une démesure à la mesure de la place qu'il tenait désormais dans le pays. Il fut tour à tour appelé le Prince du Swing, le Roi du Swoon, le Caruso du Swing, le Sultan du Swoon, le Swami du Swoon, le Larynx, Mister Swoon. Les fans de Sinatra

---

1. Et ses dérivés : du verbe *to swoon,* s'évanouir. (N.d.T.)

signaient leurs lettres « Frankly yours », les initiales F.S. remplaçaient le P.S. du post-scriptum.

Sinatra, dont la célébrité instantanée généra deux mille clubs de fans, proposa une autre explication pour cet attrait, outre le charme qu'exercèrent ses chansons. « J'étais le garçon du drugstore d'à côté, le garçon parti à la guerre », assure-t-il. En fait, si un tympan percé lui interdit de monter en première ligne, il ne l'empêcha pas de jouer les premiers rôles. Une fois de plus, cela tombait extraordinairement bien. Les anciennes vedettes étaient à l'armée et les nouvelles n'apparaîtraient pas avant la fin de la décennie. Sinatra avait le champ libre pour danser et chanter. Dans *Higher and Higher*, en 1943, il s'adresse directement aux spectateurs en leur lançant : « Salut, je suis Frank Sinatra. » La fille d'à côté défaille aussitôt. Dans le finale du film, Sinatra apparaît flottant sur un champ de nuages dans une scène que James Agee qualifia de « rêve érotique ». « Il passait de la taille d'une tête d'épingle à celle d'un géant. De plus en plus haut, c'est vrai, comme le titre du film, *Higher and Higher*. Le Messie en personne devra se donner à fond pour trouver un meilleur engagement à son retour. »

En 1945, ce fut l'apothéose. Il remporta son premier oscar pour *The House I Live In*, un court métrage progressiste de dix minutes sur la tolérance raciale. *Modern Screen* le sacra l'acteur le plus populaire de l'année. Toutefois, dans le pays et les régions en guerre, l'animosité était tenace envers les jeunes gens qui ne se battaient pas pour leur pays. « Pourquoi leurs maris, leurs fils, ou leurs frères devraient-ils risquer leur vie pendant que Sinatra reste chez lui et gagne des millions ? », écrit Saul Chaplin. L'étoile de Sinatra brillait cependant assez pour qu'il entreprît une tournée organisée par les forces armées sur le théâtre des opérations nord-africaines avec Chaplin et Phil Silvers. « À chaque fois, pour ainsi dire, il a dû faire face à un public de GI's hostiles, relate Chaplin. Littéralement hostiles, car souvent les soldats nous menaçaient des fruits et des légumes qu'ils avaient apportés. Mais petit à petit, Frank les gagnait à sa cause. »

La nouvelle influence de Sinatra lui valut même une audience auprès du pape Pie XII. Saul Chaplin accompagnait Sinatra lors de sa rencontre avec le pape :

LE PAPE. – Ainsi donc, vous êtes chanteur.

FRANK. – Oui, Votre Sainteté.

LE PAPE. – Vous êtes plutôt célèbre aux États-Unis ?

FRANK. – J'ai eu beaucoup de chance, Votre Sainteté.

Mister **Swoon**

Le Pape. – Quel est votre registre ? (Il voulait dire ténor, baryton, ou basse.)

Frank. – *Old Man River, Night and Day, The Song Is You,* et d'autres chansons populaires.

Sinatra avait peut-être fait un flop avec le pape sur le vieux continent, mais de retour chez lui, ses mots allèrent droit au cœur de la jeune Amérique. Dans un concours d'essais financé par une station de radio de Detroit en 1946, dont le thème était « Pourquoi j'aime Frank Sinatra ? », le gagnant écrivit : « Personne ne prêtait attention à des gosses comme nous. Lui, il nous a fait comprendre qu'on valait quelque chose. » Dans ses chansons, Sinatra interprétait de mini-tragédies du désir. Comme dans toutes les bonnes pièces, il y avait des artifices, des mensonges qui ressemblaient à la vérité. La meilleure interprétation de Sinatra n'était pas celle de ses films, mais celle de ses chansons.

« Quand je chante, je suis honnête, je crois,

En se lançant seul sur scène en décembre 1942, Sinatra annonce la fin de l'ère des *big bands* et le début de l'ère des chanteurs en solo. « J'espère que tu vas te ramasser, » lui décrocha Tommy Dorsey, le chef d'orchestre (au fond à gauche).

déclara-t-il à *Playboy* en 1963. Un public, c'est comme une femme. Si vous êtes indifférent, terminus. » Pour la parolière Carolyn Leigh, auteur de *Witchcraft*, l'un de ses grands tubes, il dut son succès à sa volonté de « rentrer dans le rôle qu'il était censé jouer dans la chanson ». Sinatra abordait instinctivement la chanson par son interprétation. « Petit à petit, on apprend à travailler les paroles d'une chanson comme un scénario, comme une scène. Je ne me rendais pas compte que c'était ce que je faisais à l'époque, mais c'était le cas, dit-il quelques années plus tard à la télévision. J'essaie de transmettre ce que je ressens de la chanson à une personne qui pourrait elle-même la chanter à quelqu'un d'autre. » Il plaidait sa propre cause, en quelque sorte. « Trop de passion », commenta *Billboard* quand il fit ses débuts sur scène en 1939. Mais cette « passion » était exactement ce qui rendait Sinatra si spécial et le démarquait du froid Bing Crosby qu'il détrôna en 1943 selon un sondage de *Down Beat*, devenant le chanteur le plus populaire du pays. Les interprétations de Sinatra étaient littéralement sensationnelles. On vivait les paroles. Sa silhouette efflanquée (il faisait soixante-quatorze centimètres de tour de taille pour soixante kilos et un mètre soixante-dix-huit), sa voix claire et

son sourire timide lui conféraient un air d'innocence enfantine. Il n'y avait aucun danger à ce que les adolescentes l'adorent. Il incarnait la nostalgie qu'il vivait dans ses chansons. « Plus personne ne me fera frémir désormais », chantait-il dans la célèbre chanson *I'll Never Smile Again* (« Je ne sourirai plus jamais »). Dans *This Love of Mine* (« Cet amour qui est le mien ») dont il avait coécrit les paroles, il était accablé par son désir sexuel : « La solitude, jour après jour, et la nuit, Oh, la nuit. » *Everything Happens to Me* (« Tout me tombe dessus ») touchait à un autre sentiment d'abattement où un Sinatra plaqué, triste, chantait : « J'imagine que je survivrai, j'attraperai des rhumes, je raterai des trains… »

Mais il y avait d'autres raisons à l'attrait profond qu'exerçait Sinatra. Sa voix, sa gaieté, l'exubérance de son charme romantique insufflaient à la vie quotidienne dans ces temps de guerre une bouffée de poésie, une attitude que E. B. White commente très justement dans le *New Yorker* : « La guerre tend à nous enlever tout ce qu'il y a de poésie en nous et dans nos vies, nous ressassons, nous planifions, nous nous inquiétons, nous haïssons, nous détruisons, et toute activité mentale de cette nature est hors de la poésie, car la poésie est faite de rêves, d'amour et de mélancolie. » Il y avait quelque chose d'encore plus poétique qui résidait peut-être dans le succès tapageur, déplacé et juteux de Sinatra. Il incarnait le Jackie Robinson de l'Amérique italienne. « Il avait réussi. Et non seulement il avait réussi mais il avait fait mieux que tous ces petits bâtards, résume Pete Hamill. Pour des gars comme nous, les bons à rien de Brooklyn, il exprime à notre place ce qu'on ne sait pas exprimer, et il le fait en piquant le travail d'un autre et en se l'appropriant. C'est comme voler une Cadillac. Sauf qu'il pille George Gershwin. »

Sinatra ne se contentait pas de chanter une chanson. Il la marquait de son sceau. « Regardez ce qu'il a fait avec des chansons écrites pour des spectacles qui n'ont jamais vraiment marché : *Little Girl Blue, I Didn't Know What Time It Was, Night and Day*, constate Frank Military. Frank s'en est emparé et en a fait des standards. Sans lui, elles n'auraient jamais connu aucun succès. » Sinatra tenait particulièrement à cette marque de fabrique. « J'ai toujours pensé que les paroles passaient en premier. Toujours en premier, explique-t-il à Arlene Francis. En fait, les paroles s'imposent à vous dans une chanson. Ce sont elles qui vous dictent ce qu'elles attendent de vous. » « Quand il chante, il vit son texte », reconnaît le grand chanteur lyrique Robert

Merrill, qui fit travailler Sinatra à l'occasion, vers la fin de sa carrière. Les auteurs compositeurs que Sinatra choisit d'interpréter, notamment quand il commença à chanter en solo – Cole Porter, Ira Gershwin, Johnny Mercer, Alec Wilder, E. Y. Harburg, Arthur Schwartz, Sammy Cahn, Jerome Kern, Lorenz Hart, Oscar Hammerstein –, étaient les voix préférées de la classe dominante, une bourgeoisie lettrée. Leurs jeux de mots sophistiqués, la diction et la syntaxe avaient une assise et une distinction qui venaient contrebalancer le manque d'assurance en public qui contrariait tellement Sinatra. « Frank s'exprimait très mal, confirme Saul Chaplin. Sa façon de chanter n'avait rien à voir avec sa façon d'être. » Selon Hamill, Sinatra enrichissait son vocabulaire en faisant des mots croisés. Dans les années soixante-dix, il lut *Les Éléments du style* de Strunk et White pour améliorer sa grammaire. Les articles qu'il signait étaient écrits par des nègres. Au regard de l'ampleur de son succès, il ne donna que relativement peu d'interviews télévisées, ou uniquement à des proches aux côtés desquels il se sentait protégé, des amis comme Arlene Francis ou Aileen Mehle. Ce fut d'ailleurs dans la rubrique de cette dernière qu'il annonça ses premiers adieux en 1971. Le chant effaçait son manque d'assurance et bien que

Pages précédentes : Le calme, l'attention et l'adoration sans équivoque dont n'a jamais témoigné Dolly sont indéniables dans l'enthousiasme émerveillé de ses auditeurs. « Son public lui était acquis, tout entier et sans réserves, écrit Shirley MacLaine dans *Les Stars de ma vie*. Jamais, il n'aurait laissé leur attention ou leur regard se détourner. »

Sinatra n'ait jamais bégayé, le chant élimina d'autres défauts d'élocution embarrassants. Une fois entré dans la chanson, il maîtrisait les attitudes et le langage qui le paralysaient par ailleurs. J'ai demandé au docteur Oliver Sacks comment le chant peut provoquer un tel changement. « Je ne sais pas ce qui se passe sur un plan neurologique, m'a-t-il répondu. Je pense que ce n'est pas uniquement lié à la musique, dans le sens auditif ou acoustique du terme. Je dirais que cela a un lien avec la nature du débit. On dit des malades atteints de la maladie de Parkinson qu'ils souffrent d'un "bégaiement cinétique". Il arrive que leur démarche soit hésitante, mais ils sont capables de marcher tout à fait normalement quand ils sont accompagnés, partageant en quelque sorte le rythme ambulatoire de l'autre. La musique ou la démarche d'un autre provoque alors extérieurement ce que la personne ne peut provoquer intérieurement. »

« Je suis vraiment heureux quand je suis sur scène, seul avec l'orchestre et personne pour m'ennuyer. » Dans ces moments-là, Sinatra était au-dessus du jugement des autres, maîtrisant non seulement son talent musical mais aussi le langage. Les paroles créaient autour de lui une sorte de champ magnétique où il retrouvait sa confiance et canalisait son énergie. « Je suis un des pires lecteurs de poésie au monde, affirmait-il. Mais quand la chanson est poétique, j'apprécie la poésie et les images qu'elle évoque. » La chanson éveillait en lui son sens de la poésie. Dès qu'il se mettait à chanter, il était calme, égal, sensible. Il n'y avait plus trace des rues d'Hoboken dans son élocution. Ce qu'il appelait le « tempérament sicilien » se métamorphosait en passion par le charme des paroles et de la musique. Grâce à la chanson, l'étranger avait trouvé un moyen subtil de s'intégrer. « Ma théorie, c'est de ne pas casser la phrase, dit-il un jour à Arlene Francis dans son émission télévisée. De tenir le public en haleine jusqu'à la fin de la phrase. De la chanter. Pas de les heurter en cassant la phrase. » À titre d'exemple, Sinatra choisit un passage de *Fools Rush In* : « En principe, on entend : *"Fools rush in…"*, respiration,

"*Where wise men never go*", respiration, alors que ça ne devrait faire qu'une seule phrase : "*Fools rush in where wise men never go, 'cause wise men never fall in love, so how are they to know? It tells the story right.*" » Si avec d'autres chanteurs, Vic Damone, par exemple, ou Tony Bennett, on admirait la technique, avec Sinatra on admirait l'interprétation. Il présentait la chanson comme un paysage qu'il aurait restauré, se peignant lui-même dans le tableau avec une telle maîtrise qu'il était impossible de l'imaginer sans lui. « C'est le seul homme capable de faire entendre la ponctuation dans une chanson. Il chante une conversation comme on parle, s'enthousiasme Jonathan Schwartz, auteur et personnalité de la radio, se mettant lui-même à chanter : "*You ain't be blue, no, no, no*", virgule, "*You ain't be blue, till you've had that mood indigo…*" Point-virgule, ou peut-être tiret. » Jo Stafford disait : « Il compte parmi les artistes capables d'immortaliser les grandes chansons américaines. Sa réputation et son public sont tels qu'il peut se permettre de reprendre ces chansons. »

S'approprier les standards signifiait aussi pour Sinatra s'arroger les manières d'une autre classe. « Tu vois ce qu'ils ont ? » Hamill rapporte les paroles de Sinatra un jour, dans les années soixante-dix, où ils regardaient les enfants de ce dernier se promener dans les jardins de Monte-Carlo. « "Ils peuvent s'offrir les meilleures écoles. Ils ont leurs entrées partout. Où qu'ils soient, ils sauront quoi faire." "Qu'est-ce que tu veux dire ?" "N'importe quoi, me répondit-il. Les choses les plus simples. Quelle fourchette choisir." » Hamill poursuit : « Ce n'est pas par hasard que Sinatra aspire à la grâce dans sa musique. Les ballades, en particulier, avaient à ses yeux une grâce tout à fait extraordinaire. C'est un peu comme savoir quelle fourchette choisir. »

DIX ANS APRÈS LE TRIOMPHE de Sinatra au Paramount, une manchette du *World Telegram & Sun* titra sur ce qu'il appela sa période noire. « 1942. FRANKIE ENFLAMME LES FOULES. 1952. LE FEU S'EST ÉTEINT. » Dès 1948, Sinatra commença à perdre de son emprise sur le public. Cela avait de quoi faire réfléchir et ébranla Sammy Davis Jr qui se surprit à réprimer son salut un jour où il vit passer son idole déchue dans une rue de Manhattan. « Frank descendait tranquillement Broadway, tête nue, le col remonté. Personne ne faisait attention à lui, écrit-il dans son autobiographie. C'était cet homme-là qui, à peine quelques années plus tôt, avait

Mister Swoon

« Le rayon bleu » : le regard de Sinatra
irradiait un intense faisceau de charme ou
de rage. « Un regard ambigu qui disait : "Je
te protègerai" et "Est-ce que tu veux sortir
avec moi ?", raconte Shirley Mac Laine.
Impossible de dire où s'arrêtait l'un et où
commençait l'autre. »

bloqué la circulation autour de Times Square… Et ce jour-là, le même homme descendait la même rue et tout le monde s'en fichait ! » Sinatra n'arrêta pourtant jamais de travailler pendant ces années difficiles, produisant quelques bonnes chansons, *Hello Young Lovers, Birth of the Blues*. Il connut même une brève éclaircie au cinéma ; il était excellent dans *On the Town*, malgré une affiche humiliante, qui le reléguait au second rang et le citait après Gene Kelly. C'était un nouveau venu du nom de Johnnie Ray qui jouissait de l'écoute de la nation. Les disques de Sinatra ne se vendaient plus aussi bien. « À ton avis, que se passe-t-il ? », demanda-t-il au journaliste Earl Wilson. Et il ajouta : « Je ne vais pas jeter l'éponge devant Johnnie Ray. » La carrière de Sinatra, son mariage, comme sa voix, montraient des signes évidents de faiblesse face à cette baisse d'engouement. Les fans qui avaient adoré ses chansons de charme admiraient moins ses écarts de conduite dont ils entendaient à présent parler régulièrement dans les journaux. En 1947, Sinatra s'arrangea pour se faire photographier avec Lucky Luciano et d'autres membres de la pègre à La Havane, offrant ainsi un scandale au chroniqueur d'agence Robert Ruark qui ne manqua pas de l'exploiter à trois reprises. « SINATRA, LA HONTE ! », titrait le journaliste à la une. Puis il y eut le numéro sur ses opinions politiques égalitaires qui lui valurent d'être attaqué pour communisme par la presse conservatrice. Il fut immédiatement fiché communiste dans les dossiers du FBI. « DÉGAGEZ, SINATRA MISE SUR LES ROUGES », titra *Down Beat*. Ils connaissaient leur homme. Cependant, de tous les péchés de Sinatra, le plus inacceptable aux yeux du public, c'était ses exploits extra-conjugaux étalés au grand jour. « J'ai parlé avec beaucoup de femmes qui l'ont fréquenté, raconte Shirley MacLaine. Toutes disent qu'il aimait être materné, materné et étouffé de baisers, ce qui n'est pas la même chose que câliné. » Au dire de certains journaux, il faisait un effort quasi héroïque pour mettre dans son lit la population féminine de toute une profession, comme s'il s'acharnait à s'affirmer par ses conquêtes au fur et à mesure que sa carrière déclinait. « Je crois qu'il n'a jamais éprouvé des sentiments très profonds pour les femmes, assure Lauren Bacall. Pour Ava, peut-être. Elle l'a quitté vous savez. Elle est celle qui l'a quitté. » Vers la fin des années quarante et au début des années cinquante, il se laissa souvent photographier en compagnie des objets de son désir, ainsi Marilyn

Maxwell, Lana Turner, et surtout Ava Gardner ; une liste ensuite complétée par Joan Crawford, Marlene Dietrich, Kim Novak, Lauren Bacall, Angie Dickinson, Lee Remick, Carol Lynley, Eva Gabor, Gloria Vanderbilt, Natalie Wood, Rhonda Fleming, Marylin Monroe, Sophia Loren, Debbie Reynolds, Gina Lollobridgida, Jill St John, Anita Ekberg, Judy Garland et Juliet Prowse. « Le paradis, pour Sinatra, c'est un endroit où il n'y aurait que des femmes et pas un journaliste, raille Humphrey Bogart, l'ami de Sinatra et son modèle pour le personnage "de dur" qu'il commençait à se forger. Il ne s'en rend pas compte mais le contraire vaudrait mieux. »

De fait, Sinatra, qui avait appris l'importance de la publicité grâce à Dorsey et qui cultivait lui-même ses relations avec la presse, se montrant dans les années quarante d'une générosité quasi présidentielle (il invitait les journalistes à dîner, leur offrait des bijoux, des briquets Dunhill en or), insultait désormais les journalistes qui relataient son déclin. « Oser dire à Louella Parsons d'aller se faire voir n'était pas une mince affaire à cette époque où tout le monde tremblait », raconte Tony Curtis, un des habitués de la bande du Rat Pack. Parsons ne fut pas la seule journaliste à recevoir les coups de Sinatra *via* la Western Union. Erskine Johnson, chroniqueur au *Los Angeles Daily News*, avait lui aussi entendu parler de Sinatra. « Contentez-vous d'imprimer des mensonges sur moi et sur mon caractère. Pas sur mon tempérament. Sinon vous allez vous en prendre une sur votre petite gueule stupide et malveillante », lui câbla-t-il. Des années après, Sinatra envoya à la chroniqueuse mondaine Dorothy Kilgallen une pierre tombale gravée à son nom. Sinatra s'en prit aussi à Westbrook Pegler, qui l'avait taxé de « communisant », et frappa à la tête le journaliste réactionnaire du *Daily Mirror* Lee Mortimer. Un coup envoya Mortimer au tapis et contraignit Sinatra à un règlement à l'amiable ; il lui en coûta vingt-cinq mille dollars. « Il m'a regardé, clame Sinatra avant que les avocats clarifient ses explications. Un regard du genre "Pour qui tu te prends ?" Je l'ai suivi dehors. Je l'ai frappé. Je ne sais plus très bien. » Un jour de beuverie, après la mort de Mortimer, Sinatra alla pisser sur sa tombe. « J'enterrerai tous ces connards. Je les enterrerai tous », éclatait-il. Rien ne mettait plus Sinatra hors de lui que d'être méprisé, à moins bien sûr, que ce ne soit par condescendance. Le Hollywood Women's Press Club l'élut « la vedette la moins coopérante ».

Mister **Swoon**

Ci-contre : *La bella figura*. Sinatra fête son quarante-deuxième anniversaire sur le plateau de *Kings Go Forth* en compagnie de Natalie Wood et Robert Wagner. Sinatra préférait donner que recevoir. Il était réputé pour ses actes de générosité, impulsifs et terrifiants. « Une gentillesse qui était aussi l'affirmation de son pouvoir », dira Ruth Conte.

Sinatra en pleine discussion au sujet des recettes de *Sergeants 3* dont il est le producteur (1962) : une version à la mode Rat Pack du *Gunga Din* de Kipling transposé en 1870 en territoire indien américain. À ses côtés, le producteur exécutif Howard W. Koch. Don Rickles plaisantait à propos de Sinatra : « Tous les matins, Dieu lui envoie une pluie de dollars à son lever. »

Mister Swoon

Le caractère de Sinatra devenait un facteur incontrôlable dans ses relations personnelles comme dans sa vie professionnelle. La violence de ses explosions imprévisibles se révélait parfois dévastatrice. Leonora Hornblow, une amie proche, se souvient : « C'est instantané, incontrôlable, comme un volcan. On a envie de partir en courant. Il a du coffre, figurez-vous. Quand il hurle, ça s'entend. » « Les gens tremblaient bel et bien avant de rire quand il éclatait, écrit Shirley MacLaine dans *Les Stars de ma vie*. Je crois que l'intensité de la violence de Frank s'explique par son besoin d'être compris sur-le-champ. Il ne pouvait pas attendre. Comme beaucoup de vrais artistes, il vivait l'instant présent. Cet instant était tellement chargé d'émotions, de sentiments incontrôlables, que ceux qui ne le saisissaient pas faisaient les frais de sa cruauté. Sa musique atteignait une perfection mathématique, ne laissait aucune place à l'imprécision. Il voyait la vérité de la même façon. Absolue, sans détour. Il lui fallait vivre dans un monde qu'il avait créé pour mieux le contrôler. Son talent et sa sagacité de gamin des rues le lui permettait. »

Shirley MacLaine ne fit pas les frais des excès de Sinatra, contrairement à Lauren Bacall. « Son côté imprévisible était exaltant. C'était toujours exaltant, sauf quand il piquait sa crise. Quand c'était le cas et qu'il se métamorphosait, vous n'aviez plus qu'une envie, celle d'être ailleurs. Je me souviens de cette réception qu'il donna pour le Nouvel An à Palm Springs. J'étais censée être l'hôtesse. Tous nos amis étaient là. Il ne m'a pas adressé la parole. Il ne voulait pas me parler. Moi, bien sûr, j'étais dans tous mes états. J'étais en larmes. Je ne savais pas quoi faire. J'aurais dû m'en aller. Mais j'étais perdue. Il ne m'a pas parlé de la soirée. Le lendemain, je prends mes valises pour les porter dans la voiture. "Comment, c'est toi qui fais le groom ! C'est toi qui porte tes bagages ?" Tout à coup il était quelqu'un d'autre. On ne s'est pas vu pendant un moment après ça… »

Tous ceux qui connaissaient bien Sinatra connaissaient aussi ce que Sammy Cahn appelait « le rayon bleu », l'intense rayon de charme ou de rage qui irradiait de Sinatra. « Un regard auquel il s'était accroché très jeune comme il s'était accroché à sa conception des femmes, raconte Shirley MacLaine. Il me lançait ce regard ambigu qui disait à la fois "Je te protégerai" et "Est-ce que tu veux sortir avec moi ?" Impossible de dire où s'arrêtait l'un et où commençait l'autre. » Dans ses mémoires,

Vers où je dois aller, Mia Farrow, qui fut son épouse de 1966 à 1968, décrit l'effet troublant du regard accrocheur de Sinatra : « Il était en train de parler, je ne sais plus bien de quoi, car il se produisait autre chose en même temps. Une foule de pensées passèrent dans ses yeux et vinrent me pénétrer. » Au début des années cinquante, Lauren Bacall était la marraine de l'Holmby Hills Rat Pack, la première bande des Rats formée par Humphrey Bogart, David Nivens et sa femme, Mike Roumanoff et sa femme, Judy Garland, Spencer Tracy, Nathaniel Benchley et Sinatra. Elle sentit aussi la force manipulatrice du regard de Sinatra. À cette époque, selon Lauren Bacall, Sinatra « semblait systématiquement se lier à un couple marié qui devait représenter pour lui la vie dont il avait toujours rêvé, mais qu'il n'aurait jamais. Bogie et moi, nous étions ça, une famille, des amis qui savaient toujours s'amuser. Quand Frank vous regardait, on aurait dit un petit garçon perdu et abandonné. Je me souviens. Bogie et moi avions passé un week-end chez lui à Palm Springs. Nous sommes tous allés dans un endroit appelé le Ruby's. Frank savait toujours où sortir. Il vous emmenait toujours quelque part et, bien sûr, insistait pour vous inviter. Nous avons dîné tous ensemble, puis chacun s'est apprêté à rentrer chez soi. Nous rentrions à Los Angeles. Frank était assis là, l'air malheureux. J'ai dit à Bogie : "Mon Dieu, il est triste, on ne devrait peut-être pas le laisser. Il est tout seul." Quand Bogie et moi, nous nous sommes retrouvés dans la voiture, en rentrant à la maison, il m'a dit : "Tu sais, Frank a choisi cette vie. Il n'était pas obligé de vivre comme ça." Puis il a ajouté : "Nous ne devons jamais perdre de vue ce qu'est notre vie. Nous ne devons pas laisser Frank nous enlever ça, dans sa solitude de petit garçon." C'est vrai, Frank avait ce truc pour vous attirer et vous faire tout accepter. Puis, quand vous ne l'intéressiez plus, il disparaissait. »

Après la mort de Humphrey Bogart en 1957, Lauren Bacall fit l'expérience du charme lunatique de Sinatra. Il scella leur union d'un coup de téléphone : « "Lundi, on assiste au combat de Sugar Ray. Vendredi, on fait ci. Lundi, on fait ça." Il prenait les choses en main. Il avait décidé qu'il me fréquenterait et que j'allais être sa nana. Comme ça. À ce moment précis, raconte Lauren Bacall, j'étais subjuguée. Il vous regardait comme si vous étiez la seule et l'unique. Puis il riait, plaisantait et s'en allait sans prévenir. Personne ne pouvait lui mettre le grappin dessus. Je crois que l'une des raisons pour lesquelles lui et moi, nous nous sommes séparés – de son fait, pas du mien –, c'est qu'il sentait qu'il n'arriverait jamais à être à la hauteur du genre d'homme et de mari qu'avait été Bogie. Il savait que ça ne pouvait pas marcher parce qu'il m'aurait trompée dans les cinq minutes, d'ailleurs c'est ce qu'il a fait. Il était comme ça, le Swingin'Guy. Du genre : "Il est trois heures du matin, nous sommes seuls ici, toi et moi." »

Sa passion pour les femmes menaçait de saper le succès qui lui restait. À la fin des années quarante, George Evans déclara à Earl Wilson au Copacabana : « Frank est fini. D'ici un an, tu n'entendras plus parler de lui. Tu sais que je le lui ai dit et redit, pour les filles. Le public connaît ses ennuis avec Nancy, et les autres femmes. Il ne l'aime plus. »

La sirène qui attira Sinatra sur son rocher s'appelait Ava Gardner. Comme lui, elle était une narcissique inconditionnelle du romantisme, tout aussi égocentrique, énergique et impétueuse que lui. « Quand je perds mon sang-froid, chéri, tu peux toujours le chercher », écrit-elle dans son autobiographie publiée en 1990, *Ava, mon histoire*. Le public suivit le mélodrame de leur passion avec autant d'avidité que l'histoire de *Stella Dallas*. Ava Gardner se sou-

vient de Sinatra venu les saluer, elle et son premier mari, Mickey Rooney, dans un night-club de Los Angeles. Il affichait un sourire de star plus radieux que jamais. « Avec son plus beau sourire, il me dit : "Pourquoi ne vous ai-je pas rencontré avant Mickey ? C'est moi qui vous aurait épousé." Dieu du ciel, comme Frank Sinatra pouvait être le plus gentil, le plus charmant des hommes quand il voulait. » Et il l'a été, pendant quelque temps. Au début de leur relation, Ava Gardner l'emmena dans sa petite maison jaune de Nichols Canyon. « Dieu du ciel, c'était magique. Ah, mon Dieu, nous nous sommes vraiment aimés. »

Ava Gardner était l'alter ego de Sinatra, aussi impudente et indépendante sexuellement. « Peut-être que les gens attachent trop d'importance au lien qu'il y a dans alliance », déclarait la très mariée Ava Gardner. L'intimité appelle l'égalité. Sinatra l'avait trouvée dans le feu d'Ava Gardner. « Toute ma vie, être chanteur est ce qui a compté le plus à mes yeux, lui dit Sinatra.

Sinatra et Lauren Bacall en 1957. « Il était tellement marqué par ses expériences passées et tellement amer après son échec avec Ava. Il n'était pas près à recevoir quoi que ce soit d'une femme », écrit Lauren Bacall dans *By Myself*.

Mister **Swoon**

À présent, tu es tout ce que je souhaite. » Leur relation était tumultueuse. « Les problèmes ne venaient pas de la chambre, raconte un jour Ava Gardner. C'était toujours parfait au lit. Les problèmes commençaient généralement entre le lit et le bidet. » À New York, après une scène de jalousie, Sinatra téléphone dans la suite d'Ava Gardner, adjacente à la sienne. « Je n'en peux plus », s'écrie-il. Un coup de feu retentit. Ava Gardner se précipite dans la chambre. Sinatra est allongé, face contre terre, le revolver encore fumant dans la main. « Frank ! Frank ! » hurle Ava. Sinatra lève les yeux. « Oh, hello », dit-il. Il avait tiré dans le matelas.

Leur liaison étalée au grand jour finit par détruire le mariage de Sinatra. En 1950, le jour de la Saint-Valentin, Nancy Sinatra demanda une séparation légale. La presse cracha son venin : « Avec lui, on voyait tout de suite quand il était préoccupé, raconte George Evans. Il prit mal à la gorge. Ce n'était jamais la faute des microbes sauf quand c'étaient des microbes de culpabilité. » Peu après l'annonce de la demande de séparation, le 26 avril, à Copacabana, Sinatra ouvrit la bouche pour chanter. Aucun son ne sortit. « Jamais, je n'avais autant paniqué de ma vie. Je me souviens avoir regardé le public. Dehors soufflait une tempête de neige. Il y avait environ soixante-dix personnes dans la salle. Ils savaient que quelque chose de grave venait de se passer. Il y eut un silence absolu – un silence stupéfiant, absolu. » Skitch Henderson, l'accompagnateur de Sinatra et le chef d'orchestre ce soir-là, témoigne : « Le silence a envahi le club. Un silence presque palpable. On aurait dit qu'ils regardaient un homme tomber de la falaise. Le visage blanc comme un linge, Frank a balbutié un semblant de "Bonsoir" dans le micro et a précipitamment quitté la scène, laissant le public médusé. » Sinatra souffrait d'une hémorragie des cordes vocales due au stress et au surmenage. « Je n'ai pas parlé pendant quarante jours, confie-t-il à Arlene Francis à propos de son rétablissement. Pendant quarante jours, je n'ai pas prononcé un seul mot. »

Sinatra épousa Ava Gardner en 1951. Ils se séparèrent onze mois plus tard. « Je me souviens exactement du jour où j'ai décidé de demander le divorce, écrit Ava. Ce jour-là, le téléphone a sonné. Frank était au bout du fil, il m'annonçait qu'il était au lit avec une autre femme. Il me fit comprendre clairement que s'il devait être constamment accusé d'infidélité alors qu'il était innocent, le jour viendrait où il pourrait tout aussi bien décider d'être coupable. » Pendant la brève période où ils furent mariés, Ava Gardner, en pleine ascension, fit cependant tout ce qui était en son pouvoir pour soutenir Sinatra dont l'étoile déclinait. Son contrat de dix ans avec la MGM incluait une clause stipulant que, « à tout moment avant l'expiration de son contrat, elle pourrait être photographiée aux côtés de Frank Sinatra ». Bien qu'ils n'aient jamais travaillé ensemble, Ava intercéda en faveur de Sinatra auprès du président de la Columbia, Harry Cohn, pour aider son mari à obtenir le rôle de Maggio dans *From Here to Eternity*. Sinatra accepta de jouer pour huit mille dollars au lieu de ses cent vint-cinq mille dollars habituels. Ava Gardner, pendant ses dernières années, seule et en proie à l'alcoolisme, fut à son tour soutenue par Sinatra. Avec leurs crises de jalousie, leurs infidélités sexuelles, leurs réconciliations, Frank Sinatra et Ava Gardner offraient au public une matière extraordinaire. Sinatra immortalisa en 1951 l'enfer de leur vie privée dans sa remarquable interprétation de *I'm a Fool to Want You*, qu'il coécrit. Il l'enregistra, en une seule prise, terrassé par ses sentiments :

I'm a fool to want you
I'm a fool to want you
To want a love that can't be true
A love that's there for others too…

À CETTE MÊME ÉPOQUE, les ballades de Sinatra ne se vendaient plus. Le public semblait indifférent aux vieux standards, avide de nouveauté. À la Columbia Records, Mitch Miller, le plus puissant des producteurs de l'époque et le génie du commerce, celui qui avait trouvé le filon de *Mule Train*, chercha avec l'aide de Frankie Laine un créneau commercial pour Sinatra. Miller lui trouva des titres rythmés parmi lesquels *Birth of the Blues*, un titre déterminant, dans lequel se dessinaient le swing et le tempo rapide qui caractérisèrent Sinatra au milieu de sa carrière. Il le persuada aussi d'enregistrer *Tennessee Newsboy* avec une *washboard* en accompagnement, ainsi que *Mama Will Bark* aux côtés de l'appétissante Dagmar et de Donald Bain qui aboyait comme un chien. « Les seuls avec qui ça a marché, ce sont les chiens », plaisantait alors Sinatra, bien que la chanson se classât vingt et unième au hit-parade. Avec ces enregistrements, Sinatra toucha le fond de sa carrière musicale. Ils donnaient la mesure de la mauvaise gestion de la Columbia et du profond désespoir du chanteur. Miller fut le bouc émissaire sur lequel Sinatra rejeta la faute de son déclin. « On ne peut pas forcer quelqu'un à chanter une chanson. Les gens ne comprennent pas ça, se défendit Miller auprès de Will Friedwald dans *Sinatra : The*

Song Is You. Sinatra disait que je lui apportais des chansons de merde, que je le forçais à chanter de la merde. » Sinatra n'aimait sûrement pas les intrusions de Miller en régie pendant qu'il travaillait. « Ne viens pas à la régie pour dire à l'orchestre ce qu'il a à faire, ordonna Sinatra à Miller lors d'une séance, rapporte John Blowers à Friedwald, à l'époque son batteur. Et puis finalement, un beau jour, calmement, il a regardé en direction de la régie et tonné : "Mitch, dehors." Puis, le pointant toujours du doigt, il a ajouté : "Ne remets jamais les pieds ici. Ne remets jamais les pieds au studio quand j'enregistre." Mitch n'est jamais revenu. Frank ne l'aurait pas permis. Il savait ce qu'il

Dolly Sinatra était un des piliers du Parti démocrate. Elle admirait tellement Frank Delanoe Roosevelt qu'elle donna son prénom à son fils. La première fois qu'il rencontra Roosevelt, Sinatra se présenta comme « un petit gars de Hoboken », mais le président comprit le pouvoir de son charme et celui de la musique populaire. Sinatra n'allait pas tarder à soutenir publiquement Frank Delanoe Roosevelt pour son quatrième mandat et resta en contact avec Eleanor Roosevelt après la mort de son mari. Elle participa même à son émission télévisée en 1960, où elle lut les paroles de *High Hopes*.

Mister Swoon

voulait. » Dans ses derniers mois à la Columbia, le choix de ses chansons s'apparentait à un message pour son producteur : *There's Something Missing* (« Quelque chose me manque »), *Don't Ever Be Afraid to Go* (« N'aie pas peur de partir ») et *Why Try to Change Me Now ?* (« Pourquoi vouloir me changer maintenant ? »). Des années plus tard, Miller rencontra par hasard Sinatra à Las Vegas, s'avança pour lui serrer la main, en signe de réconciliation et fut congédié d'un « Va te faire foutre. Dégage. »

Les pertes s'accumulaient. En 1949, la MGM laissa partir Sinatra. En 1951, à l'âge de quarante-huit ans, George Evans mourut. En 1952, *Meet Danny Wilson* fit un flop et Universal refusa de reconduire son contrat pour un second film. Il fut lâché par la Columbia Records. CBS annula le *Frank Sinatra Show*. Il fut remercié par son agence théâtrale. « J'étais dans le pétrin. Je dois dire que j'ai perdu une grande partie de ma confiance dans la nature humaine, car beaucoup des amis que j'avais à l'époque disparurent, raconta Sinatra lors de sa conférence à Yale. Je me la suis vraiment coulé douce pendant un moment. J'ai allongé mon ardoise dans les bars pendant environ un an. Puis, explique-t-il, je me suis dit : "OK, fini les vacances, Charlie. Tu te remets au boulot." »

Mais qui l'aurait engagé ? Quand son nouvel agent Sam Weisbrod appela Alan Livingston, le directeur A & R (Artistes et Répertoire) de Capitol Records, et lui demanda s'il voulait signer avec Sinatra, Livingston dit oui. « C'est d'accord ? » s'écria Weisbrod. Le point d'interrogation en disait long. « Je le cite mot pour mot, déclare Livingston, je lui ai répondu "Oui" et lui de dire : "C'est d'accord ?" Drôle de réaction pour un agent ! » En 1953, Livingston, qui signa plus tard avec le Band et les Beatles, signa avec Sinatra un contrat d'un an reconductible six fois un an avec cinq pour cent de royalties. « Frank Sinatra était complètement hors du coup. Il était largué. Sa voix aussi commençait à le lâcher, continue Livingston. J'ai signé avec Frank au moment où se réunissaient nationalement nos forces de vente. Il y avait là près de cent cinquante vendeurs, les directeurs de filiales, les directeurs régionaux. Je leur passais les prochains titres. Je leur parlais des nouveaux artistes. Je leur ai dit : "J'ai quelque chose à vous annoncer : nous venons de signer avec Frank Sinatra." Tout le monde a fait "Oh !" comme pour dire : "Oh mon Dieu, qu'est-ce que vous nous faites !" Ça ne leur plaisait pas du tout. Je me souviens de ma réaction. Je leur ai dit : « Écoutez, c'est le plus grand chanteur que j'ai jamais entendu. Il a des problèmes. Il n'a rien fait depuis longtemps. La seule chose que je sache gérer dans mon boulot, c'est le talent. Ça, c'est du talent." »

CHEZ CAPITOL, Sinatra remonta petit à petit la pente. Ses chansons étaient prémonitoires. Le 30 avril 1953, associé à Nelson Riddle, un nouvel et très brillant arrangeur de trente-deux ans, proposé par Livingston, Sinatra enregistrait *I've Got the World on a String* et *Don't Worry 'bout Me*. « Sinatra était emballé par ce son, écrivent Ed O'Brien et Robert Wilson dans *Sinatra 101 : The 101 Best Recordings and the Stories Behind Them*. Au cours des réauditions ce soir-là, Sinatra tournait en rond dans le studio, en tapant joyeusement dans le dos des musiciens et des techniciens, répétant à plusieurs d'entre eux qu'il était de retour. »

En août, la sortie de *From Here to Eternity* marqua la véritable renaissance de Sinatra. « En étant battu à mort dans ce film, il se repentait publiquement de toutes ses erreurs passées, commente Mitch Miller pour Friedwald. On retrace facilement sa progression. Du jour où le film est sorti, ses disques ont recommencé à se vendre. » Sinatra avait trente-huit ans quand il reçut l'oscar du meilleur second rôle pour le film. Trois mois avant de remporter son oscar, en mars 1954, Sinatra avait entamé une psychothérapie. Une semaine après sa récompense, il l'abandonna. « J'ai découvert tout ce que je devais savoir », dit-il. Il la remplaça en s'installant à long terme dans le succès. « Avant *Eternity*, plus personne ne se manifestait », raconte Frank Military qui fait allusion à un épisode au Club Riviera de Fort Lee. Sinatra y était passé l'année précédente. Personne ne venait le voir pour le féliciter, pas même dans la loge. Je lui ai demandé : "Où sont-ils tous passés ?" Il a répondu : "Ces gens-là ne se déplacent que pour les stars et j'en ai fini avec eux !" L'année suivante, c'est la sortie d'*Eternity*. On repasse au Riviera mais cette fois, impossible d'entrer dans sa loge ! "Frank, tu avais dit que tu ne parlerais plus jamais à ces gens-là." "Ils sont tous comme ça", me répond-il. » En 1954, l'association Sinatra-Riddle produisit le premier tube de Sinatra en solo depuis sept ans, *Young at Heart*, qui se classa numéro deux au hit-parade. Sinatra portait désormais avec lui l'histoire notoire de ses déboires et de ses nouveaux triomphes. Ses chansons étaient de plus en plus perçues par son public et par lui-même comme une sorte d'autobiographie. *All or Nothing at All* (« Tout ou rien ») : le pari sur son talent. *I'm a Fool to Want You* (« Je suis un fou de te désirer ») : son amour sans retour pour Ava. À présent, son retour avec *I've Got the World on a String* (« Je tiens le monde sur un fil »). Le nouveau Sinatra n'était plus le gentil chanteur de ballades des années quarante. La fragilité de sa voix avait laissé la place à la gravité de l'homme mûr, marqué par ses bonheurs et ses souffrances. « C'est à Ava qu'il le doit. C'est elle qui lui a enseigné comment interpréter une chanson d'amour tragique, raconte Nelson Riddle. C'est comme ça qu'il a appris. C'était le grand amour de sa vie et il l'a perdu. » Le style de Sinatra avait acquis cette tension qui vient avec la souffrance : un mélange de noblesse, de libertinage et d'expérience. « Il faut avoir touché le fond pour apprécier la vie et se remettre à vivre », disait-il pendant sa période noire. Dans les années quarante, le travail vocal de Sinatra portait principalement sur la fluidité. Dans les années cinquante, il découvrit la syncope. La nouvelle assurance de sa voix reflétait l'impudence du « tout est permis » qui traduisait alors autant l'état d'esprit de l'Amérique que le

Cette habitude d'entrer en scène avec un verre de Jack Daniel's - son « carburant » comme il disait - commença vers la fin des années cinquante et se poursuivit pendant des décennies.

sien. Dans *Taking a Chance on Love* qu'il enregistra le 19 avril 1954, il chantait :

Now I prove again
That I can make life move again
Mmmmm - I'm in a groove again
Takin' a chance on love.

L E PHÉNOMÈNE DU SINATRA crooner et playboy avait quelque peu masqué au public le Sinatra musicien. La collaboration Sinatra-Riddle changea cette perception et mit incroyablement en valeur ses qualités de musicien. Les arrangements de Riddle n'étaient pas trop chargés, ils laissaient suffisamment d'espace à sa voix et à l'interprétation de son nouveau rôle de swinger. « L'homme en lui-même arrive à extirper tout ce qu'il y a en vous, raconte Riddle à Jonathan Schwartz sur WNEW au début des années quatre-vingt. J'ai toujours pensé que mon tempérament plutôt placide avait un effet bénéfique sur lui. Je ne sais pas pourquoi mais il pensait que tout le monde lui en voulait et qu'ils allaient voir ce qu'ils allaient voir. Je crois qu'il le pense encore. »

Ensemble, ils créèrent le style classique de Sinatra. Le hasard voulut que ce fût juste au moment où la technologie du son produisit à la fois la haute-fidélité et le 33-tours. « Jamais un chanteur populaire n'avait eu l'opportunité d'exprimer ses émotions sur une aussi longue durée, rappelle Schwartz. On pouvait faire tenir jusqu'à seize chansons sur un 33-tours, ce qui permit à Sinatra de travailler la chanson comme un romancier, faisant de chaque plage une sorte de nouvelle, installant ainsi des atmosphères différentes en contrepoint pour éclairer un thème plus large. » Avec leurs 33-tours les plus marquants : *In The Wee Small Hours, Sinatra Sings for Only the Lonely, Songs for Swingin' Lovers!* et *A Swingin' Affair!*, Sinatra et Riddle produisirent les premiers albums à thème. Entre mai 1957 et mai 1966, aucun single de Sinatra ne figura au classement *Billboard* des dix meilleurs 45-tours de l'année, mais vingt albums se rangèrent au classement des dix meilleurs albums. *Only the Lonely*, sorti en 1958, resta au hit-parade cent vingt semaines d'affilée. En 1959, l'album suivant, *Come Dance with Me* tint cent quarante semaines.

Avec Dorsey, Sinatra avait compris l'importance des arrangeurs. Quand il quitta Dorsey, il entraîna Axel Stordhal, son arrangeur, faisant passer son cachet de cent trente à six cent cinquante dollars par semaine. « Je pense, comme beaucoup de ceux qui ont travaillé avec lui, qu'il avait et a plus de respect pour les arrangeurs que pour n'importe qui d'autre, y compris les paroliers », raconte Saul Chaplin. C'est avec

Dorsey que Frank a appris à adapter une orchestration. Quand l'arrangeur présentait son travail, lui repérait les figures mélodiques, puis quand il chantait, il s'arrangeait pour faire ressortir ces figures. Il n'hésitait pas à lâcher une note qu'il aurait pu tenir car il savait que l'important c'était l'ensemble, pas seulement sa voix. Sur scène, Sinatra saluait souvent cette distribution du travail musical en annonçant l'arrangeur et le parolier d'une chanson avant de l'interpréter. Avec Riddle, il était patient et précis dans sa demande. « Quand on écoute un album de Sinatra, c'est un produit pensé par Frank Sinatra », confirme Riddle à Schwartz. L'arrangement de *I've Got You under My Skin* par exemple était le résultat d'une longue discussion avec Sinatra à propos de l'album *Songs for Swingin' Lovers !*. Il était tellement moderne que les musiciens en session applaudirent après l'avoir joué la première fois. « Il était toujours très cohérent dans sa demande, expliquant où il voulait les crescendos, les diminuendos, indiquant les tempos et bien sûr la tonalité, poursuit Riddle. Ces discussions en étaient presque douloureuses parfois, sur des albums de douze ou quatorze chansons. L'atmosphère était rigoureuse, tendue. J'étais souvent à deux doigts de me

mettre en boule. On passait presque une heure sur chaque morceau. Puis la nature humaine reprenait ses droits après cinq, six, sept ou huit titres. La fatigue se faisait sentir. Il me disait : "Fais ce que tu veux avec le reste." C'était la fin de l'affaire et je crois que nous étions aussi soulagés l'un que l'autre. »

Le résultat atteint par Riddle dans *I've Got You under My Skin* était, dit-il, « la pierre angulaire de notre travail d'enregistrement, pour lui comme pour moi ». Au cours de leurs six années de collaboration, Riddle passa de l'influence de Ravel et Debussy à un langage plus personnel, plus mordant, plus dissonant. « J'ai beaucoup appris de Frank sur l'importance de la direction pour un chanteur. J'ai compris que les tempos sont aussi importants que les colorations dans l'orchestre. J'ai appris à faire respirer l'orchestre avec lui, phrase par phrase. » Sinatra, quant à lui, avait appris l'importance du tempo grâce à Dorsey. « J'observais souvent Dorsey. Il choisissait une partition, la jouait une seconde plus vite sur huit mesures puis il disait : "Tu la reprends. Maintenant", raconte Saul Chaplin, parlant de qu'on appelle familièrement la "poche". Un jour, il me dit : "Chaque chanson a un tempo exact." Cela ne veut pas dire que ça ne marchera pas sur d'autres tempos. Ça

marchera, mais il n'y en a qu'un sur lequel elle est parfaite. Frank en avait compris l'importance. »

Dans *I've Got You under My Skin*, Riddle commençait par un rythme tranquille, une pulsation assez régulière qu'il appelait le « rythme cardiaque ». « Le tempo de Sinatra est celui du rythme cardiaque », disait-il. Puis il créait une merveilleuse tension instrumentale autour de sa voix. Riddle avait le chic pour trouver des petits chorus assez corsés, à la limite de la dissonance, qui venaient taquiner la tonalité. Ensuite, insidieusement, il faisait entrer les nappes de cordes sur la section rythmique et les bois. Pendant les parties instrumentales, Riddle faisait jouer en solo les hautbois, les trompettes bouchées, les piccolos ou les bassons. Dans *I've Got You under My Skin,* c'était le trombone de Milt Bernhart qui faisait monter la tension jusqu'à ce que Sinatra reprenne la chanson et la ramène à la pulsation cardiaque d'où elle était partie. Sinatra lui avait demandé de tenir un crescendo. Riddle lui offrit le plus long

· **Mai 1943 : Hasbrouck Heights, New Jersey. Sinatra torse nu devant chez lui, un dimanche après-midi, réparant une roue du landau de Nancy. Le bonheur familial sera de courte durée.**

jamais entendu jusque-là dans un arrangement écrit.

Dans un sondage auprès de ses fans, cette chanson fut élue l'enregistrement préféré de tous les enregistrements de Sinatra. « Elle a transformé la musique populaire américaine. Et je n'exagère pas, affirme Schwartz. Tout a changé après cet arrangement, jusqu'au son de l'album *Songs for Swingin' Lovers!* » Sinatra avait trouvé son rythme. Sa façon de chanter à ce moment-là était plus qu'un style. C'était une attitude. Ses paroles, ses poses, ses rythmes, tout nous faisait croire que le sexe et la vie allaient être vraiment super, « *wowie* » comme il chante dans *Me and My Shadow*. La fête de l'après-guerre avait commencé et si les années cinquante s'étaient figées dans la normalité, Sinatra laissait à présent souffler un vent de libertinage. Son style, le côté fin et sensible de sa silhouette comme celui de son expression musicale étaient naturellement dans le vent, tout en y ajoutant l'aisance de la tradition à laquelle nous tous, les *preppies* blancs, nous pouvions nous rallier. On s'habillait Sinatra, nouant des cravates en cachemire de chez Brooks Brothers à la Windsor. On parlait Sinatra. On disait « *Charlies* » pour doudounes, « *gas* » pour sensass. On ajoutait le suffixe « -ville » à tous les mots qui pouvaient coller

dans notre jargon. On voulait faire partie de la fête et c'était comme si Sinatra avait toujours été là.

APRÈS LES HUMILIATIONS du déclin, rien n'émut plus Sinatra que de se voir à l'origine d'une telle dynamique. Un immense talent, des gros bras autour de lui, un gros paquet de dollars derrière lui, d'importantes relations avec la classe dominante comme avec le milieu. « Il se servait du succès qu'il connaissait au cinéma, sur la scène et dans son métier pour peaufiner son personnage d'incorruptible, raconte Tony Curtis. Vous remarquerez que je ne parle pas de la mafia. Lui-même était déjà son propre parrain. C'est comme ça qu'il dirigeait sa famille et ses amis. Incorruptible. » Avec les années, ce besoin de toute-puissance s'est encore accentué. Frank aimait la fin des spectacles. « Il quittait la ville comme un guerrier romain des Temps modernes, écrit Shirley MacLaine à propos de sa tournée avec lui en 1992. Il insistait pour être escorté par la police, même à quatre heures du matin dans les rues désertes, avec les gyrophares en action et des motards lui ouvrant le passage. »

Avant son retour, Sinatra vécut au jour le jour, surtout en empruntant de l'argent; après quoi, il jeta les bases d'un véritable empire. À l'apogée de sa carrière, Sinatra, qui habitait Beverley Hills mais qui avait aussi eu plusieurs résidences à New York et à Londres, régnait le plus souvent sur sa propriété de Rancho Villa, son royaume en Californie. Cette dernière, qui n'a cessé de s'étendre jusqu'à sa vente en 1995, sorte de métaphore de sa réussite, arborait une plate-forme pour hélicoptère, une piscine, des terrains de tennis, une salle de projection et une cuisine ultramoderne en service vingt-quatre heures sur vingt-quatre. La propriété s'enorgueillissait également de deux pavillons d'invités, chacun avec deux chambres et une salle de bains, pour elle et pour lui. Dans la « chambre Kennedy », un téléphone rouge directement relié à la Maison-Blanche avait été installé pour la visite avortée de John Fitzgerald Kennedy en 1962. (Sur les ordres de Bobby Kennedy qui lui avait demandé de prendre ses distances avec Sinatra et ses relations de la mafia, le président résida finalement chez Bing Crosby, tout près de là, à Palm Desert, au grand désespoir de Sinatra.)

« Frank détruit l'argent », disait Joe DiMaggio de son ami. La prodigalité avec laquelle Sinatra recevait témoignait non seulement d'un homme de talent mais aussi d'un homme de bien. En 1997, la fortune de Sinatra fut estimée à deux cents millions de dollars. Sinatra possédait neuf pour cent des parts du Sands Hotel à Las Vegas. Il en fit, pratiquement à lui tout seul, La Mecque du divertissement. Il devint vice-président de la société et empochait cent mille dollars par représentation hebdomadaire, jusqu'à son désaccord avec l'hôtel en 1967. Au cours des années soixante, il possédait aussi cinquante pour cent du Cal-Neva Lodge sur le lac Tahoe. À l'époque, on commençait à voir apparaître des boutons à l'effigie de Sinatra portant la devise : « CE MONDE APPARTIENT À SINATRA. NOUS N'EN SOMMES QUE LES HÔTES. » Et c'était l'impression qu'on avait. Sinatra acquit également des participations importantes dans une petite compagnie de charters, une société de pièces détachées pour missiles, une société d'édition musicale, dans plusieurs stations de radio, dans des restaurants et dans l'immobilier. Dans les années soixante, il employait près de cent personnes. Il monta les Productions Essex et percevait pour son cachet vingt-cinq pour cent des recettes de *Pal Joey*. Une autre de ses sociétés percevait le même pourcentage pour *The Joker Is Wild* dont il était la vedette.

À la fin de cette décennie, Sinatra avait fait gagner tellement d'argent à Capitol qu'il voulut son propre label. Il proposa un partage moitié-moitié à Capitol qui serait

Mister **Swoon**

85

Visionnant les rushs de *The Manchurian Candidate* (1962) dans lequel il tient le rôle de Bennett Marco, une de ses meilleures interprétations cinématographiques. « Il était impitoyable avec sa propre interprétation, se souvient William Read Woodfield. Il considérait ça de l'œil d'un homme d'affaires. Il voyait ça comme un investissement. »

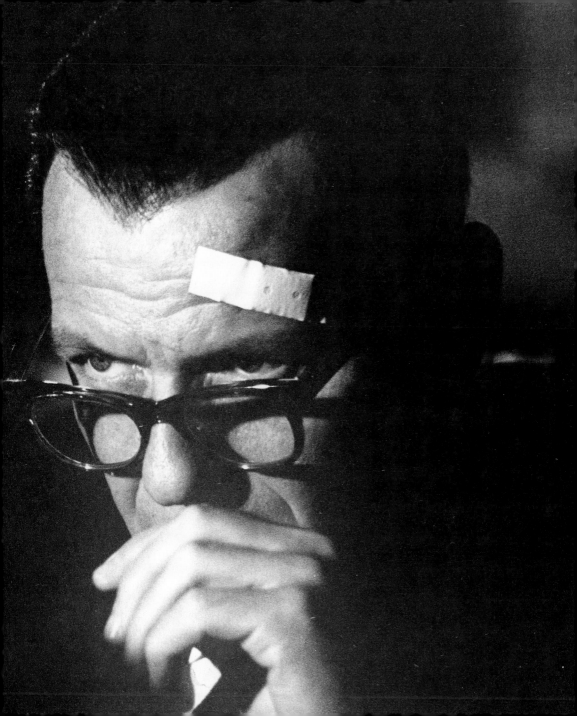

Pages précédentes : avec Lawrence Harvey dans *The Manchurian Candidate*. Considérant son thème, l'assassinat d'un président, trop explosif politiquement, Arthur Krim, à la tête de United Artists (et trésorier national du Parti démocrate) refusa de le distribuer. Sinatra s'adressa directement à John Fitzgerald Kennedy. « C'était la seule solution pour réaliser le film », raconte Richard Condon, auteur du roman dont est tiré le film. Il en coûta à Frank d'aller voir Jack Kennedy. Sinatra, qui possédait les droits de *The Manchurian Candidate*, retira le film de la circulation après l'assassinat de JFK.

resté distributeur ; un marché impensable à l'époque, mais devenu aujourd'hui monnaie courante. Devant le refus de Capitol, Sinatra monta sa propre maison de disques : Reprise Records. Il faisait claquer le i comme une riposte. « Je t'emmerde, j'emmerde ta compagnie », hurlait Sinatra au téléphone à Alan Livingston de Capitol tandis que celui-ci essayait de parvenir à un accord de dernière minute. Livingston s'en souvient : « Frank disait : "Je vais foutre toute ta baraque en l'air. Je vais te la mettre en pièces." » Bien que Sinatra se trouva contraint d'enregistrer quatre autres albums pour Capitol, Capitol conti-

nuait de produire après son départ des albums vendus à prix réduit, composés d'enregistrements encore inédits. « Le marché était inondé de nos albums de Sinatra, raconte Livingston. Reprise Records était prise à la gorge. Personne ne voulait de leur produit. Puis Jack Warner est arrivé et a sorti Sinatra d'affaire. » Sinatra vendit deux tiers de Reprise Records à la Warner Bros en 1963, réalisant une plus-value de plus de trois millions de dollars.

Sur scène, Sinatra contrôlait son univers et était à l'abri des coups. En coulisses, il était plutôt peureux et quelque peu paranoïaque. « Pour Frank, le monde extérieur était jalonné de dangers venant des journalistes », soutient Tony Curtis. Le conseil du père à Nancy ne variait pas : « Sois vigilante. Sois vigilante à tout ce qui t'entoure. » La richesse apportait à Sinatra le sentiment libérateur d'une emprise sur sa vie. « Je me souviens, on était dans l'avion, entre Las Vegas et Palm Springs. » Aileen Mehle se rappelle d'un vol avec Sinatra au début des années soixante : « Il avait avec lui des sacs en papier remplis de billets, de cent dollars, je crois. Pleins à craquer. Des centaines de milliers. Il a retourné les sacs au beau milieu de l'avion et l'argent s'est mis à flotter. Tu parles d'un jeu. Il disait : "Je suis heureux. C'est la première fois que j'ai un million de dollars cash à la banque et que je n'ai pas la plus petite idée de ce que je vais en faire." »

Parmi ses amis, Sinatra a toujours été connu pour ses actes de générosité, impulsifs et terrifiants ; ces grands gestes que les Siciliens appellent *la bella figura*. « J'ai toujours su que je pouvais appeler et dire "Frank, je suis dans le pétrin, j'ai besoin de cent mille dollars" », témoigne Jo Stafford. Sinatra régla plusieurs fois l'hôpital pour Lee J. Cobbs après la crise cardiaque de l'acteur en 1955. Il lui trouva aussi un appartement luxueux où il pourrait récupérer. Il acheta une nouvelle maison et une nouvelle garde-robe au pianiste Bill Miller après que celui-ci eut perdu sa femme et que sa maison eut été emportée par un glissement de terrain. À son ami l'acteur George Raft, que les fédéraux avaient accusé de fraude fiscale, il envoya un chèque en blanc avec cette mention : « À utiliser en cas de besoin. » Quand le partenaire de Phil Silvers, Rags Ragland, disparut au moment où ils devaient ouvrir le Copacabana, en 1946, Sinatra traversa le pays pour faire une surprise au comédien et jouer les faire-valoir. « Aujourd'hui encore, Frank ne sait pas comment exprimer son affection, raconta le regretté Phil Silvers dans les années cinquante. Il le fait par des cadeaux hors de prix. » Yachts équipés, avions, notes d'hôtel, factures d'hôpitaux, cadeaux extraordinaires – une guitare Ramirez de cinq mille dollars pour son guitariste Al Viola ; une flûte en bois d'époque pour Tony Curtis qui s'était mis à cet instrument pendant le tournage de *Sweet Smell of Success*. « Ce n'était pas mon anniversaire, rien de spécial », reconnaît Curtis. « Quand quelqu'un était dans une mauvaise passe, Frank était comme les Marines. Il était là », m'a raconté l'ancienne actrice Ruth Conte, la première femme de Richard (Nick) Conte. Désormais psychothérapeute, elle faisait partie du cercle de Sinatra dans les années cinquante. « Quand Nick m'a quittée, Frank m'a appelée. "Comment ça va, mon petit ?" Une gentillesse qui était aussi l'affirmation de son pouvoir. Ça le rassurait tellement d'être à même de le mettre à profit. »

En fait, la compulsion de Sinatra à calmer les angoisses de ses amis était une façon de ne pas penser aux siennes. « Parfois, on avait presque envie de le fuir, avoue Burt Lancaster. Quand on lui disait "Frank, j'ai un problème", ça devenait son problème. Et parfois, on aurait préféré le régler soi-même. » Ce besoin qu'il avait de protéger faisait de Sinatra un ami extraordinaire mais excessif. « Quand il est gentil, il est vraiment très gentil, comme une fille à sa maman,

Sinatra et Count Basie avec qui il partit er
tournée et enregistra, dans les années
soixante, ses meilleurs disques. « Basie
nous le savons tous, incarne le meilleur
swing qui soit dans le jazz. Un vrai régal
car tout ce qu'il y avait à faire, c'était reste
sur la crête du son, le suivre et se laisse

conte Leonora Hornblow. Il s'inquiète de vous. Il vous veut du bien. Quand les choses vont mal, il fait en sorte que ça s'arrange. Vous êtes enveloppé de chaleur. » Pour Sinatra, qui avait du mal à dire « Je suis désolé », ou à admettre qu'il avait tort, générosité et toute-puissance allaient de pair. En retour, il avait du mal à reconnaître la générosité de ses amis et collègues. « Ce n'est tout simplement pas dans sa nature de faire des compliments », dit une fois Nelson Riddle. Alors qu'on venait de lui remettre un oscar, Sinatra déclara : « Je l'ai gagné tout seul. » Cette distance qu'il mettait entre lui et les autres expliquait son arrogance, mais aussi ce sentiment particulier de solitude quand il chantait. « Il comprenait la solitude mieux qu'aucun autre de sa génération, assure Pete Hamill. Je pense à une certaine forme de solitude urbaine. » Ce qu'évoquait Sinatra n'était cependant pas uniquement lié à la ville. C'était une solitude américaine très particulière, celle d'une âme à la dérive en quête du destin de « soi » et renvoyée à la solitude de son propre cœur qui s'emballait. Un jour, lors d'une altercation avec un attaché de presse qui avait eu l'audace de suggérer que Sinatra dépendait de son public, il rétorqua : « C'est faux ! J'ai du talent et je ne dépends que de moi-même. » L'autono-

dans son comportement. « Si vous l'aidiez plus qu'il ne vous avait aidé, votre amitié était menacée parce que l'équilibre qu'il souhaitait avait basculé, écrit Shirley MacLaine. Quant à ceux qui travaillaient pour Frank et essayaient de le protéger de lui-même, ils commettaient le plus odieux des crimes, ajoute-t-elle. C'était un homme heureux quand il pouvait venir à mon secours. "J'espère seulement que quelqu'un va essayer de te faire du mal comme ça je pourrais le tuer pour toi", disait-il. »

En tant que chanteur, bien sûr, Sinatra pouvait tout donner, tout conquérir, tout le temps. Le chapeau mou, le col ouvert, le regard en coin, l'imperméable jeté sur son épaule, le corps penché en arrière, les bras grands ouverts dans ses chansons : ce sont ces images de l'individualisme parfait qui dominaient les albums des années cinquante. Sinatra planait. « *Come fly with me ! Let's fly ! Let's fly away* » (« Envole-toi avec moi »), ordonnait-il au monde. Mais ces paroles font aussi allusion à sa fuite dans le succès, dans des sphères célestes où nul ne peut l'atteindre ni le juger. « *Up there ! Where air is rarefied. We'll just glide, starry-eyed.* » Aller de l'avant avait toujours été l'antidote de Sinatra contre l'an-

marche. « Personne ne semble en mesure de m'aider pour ça, aucun médecin, personne », confia Sinatra au regretté metteur en scène Vincente Minnelli à propos de son rythme infernal. Sa vie était parfaitement réglée. « Après le dîner et une bonne dose de Jack Daniel's, Frank était du genre à décider tout à coup de ne pas rentrer à la maison, mais de partir pour Las Vegas, Miami ou New York, écrit Mia Farrow. Il était attiré par l'autre monde – la troisième face de sa vie – et c'était inutile de discuter. » Travaillant, flirtant, sillonnant le monde dans son avion privé, Sinatra, qui détestait perdre du temps, passait alors sa vie à essayer de le tuer. « Battre le temps tout le temps, battre le temps à son propre jeu », raconte sa fille Nancy. Sinatra se repliait dans le luxe et un isolement contradictoire. C'était un insomniaque qui avait besoin d'être entouré, à tout instant. En guise d'intimité, il offrait à son public des bribes de sa vie légendaire. Certaines de ses chansons évoquaient sa famille (*Tina, Nancy With the Laughing Face*). Dans *Me and My Shadow*, il faisait allusion à ses philosophes, les restaurateurs Jilly Rizzo et Toots Shor. Sinatra se tenait devant un auditoire comme quelqu'un qui a bourlingué avec des tueurs et des rois. Il avait été marié à la plus belle femme du monde. Il avait gagné,

puis perdu, et il regagnait encore. Ce qui, en tant qu'interprète, le rendait bien plus intéressant que n'importe lequel de ses textes. À cette époque, les meilleures chansons de Sinatra *All the Way, Call Me Irresponsible* et surtout *Come Fly with Me* avaient été écrites par Sammy Cahn, qui avait habité chez lui, voyagé avec lui et partagé une bonne partie de sa vie. Le matériau, c'était Sinatra. « Les paroles de Sammy sont celles qui me vont le mieux », déclara-t-il au producteur George Schlatter.

Sur des paroles plus subtiles, il arrivait que les interpolations de Sinatra altèrent la valeur du mot et, par la même occasion, exaspèrent les paroliers. « Ira Gerschwin détestait que Sinatra ait repris *A Foggy Day* et chante *"I viewed the morning with much alarm"*, raconte le chanteur Michael Feinstein, longtemps l'assistant de Gerschwin. Le texte dit *"I viewed the morning with alarm."* Ça le rendait dingue, parce qu'il sentait que le mot *"much"* affaiblissait ce qu'il avait écrit. Et c'était vrai. Les paroles, comme le reste, souffraient parfois de son narcissisme. » Leonora Hornblow rapporta à l'acteur Clifton Webb's une soirée où Cole Porter était lui aussi présent. « Frank s'amusait avec les paroles. Je crois que c'était sur *I Get a Kick Out of You*. Vous voyez. Il a chanté : *"You give me a boot."* Cole s'est levé

**De sa cabine, le chanteur
mène la danse.**

et il est sorti. Cole était très bien élevé. Pour un homme comme lui, faire ça pendant que quelqu'un chantait, c'était comme se déshabiller sur place. » Sinatra vénérait Porter (il louait l'appartement de Porter au Waldorf Towers), mais il trouvait aussi que Porter était « snob » alors que Cahn écrivait des paroles qui parlaient à tout le monde, comme Sinatra. « Si on t'attaque, tu m'appelles », gribouilla Sinatra dans un petit mot à Cahn en 1990. Cahn parlait et écrivait dans le même style populaire et bien senti, un langage de dur. « *Hey, there, cutes, put on your Basie boots.* » « Sammy se voyait dans Frank, raconte sa veuve Tita Cahn. Frank sans la voix, sans le regard. » Cahn avait les mêmes intuitions que Sinatra sur une chanson. « Sammy présentait toujours la chanson à Frank et la phrasait pour lui », raconte Frank Military. Cahn connaissait les tics de Sinatra. Parfois même, les tics de Cahn devenaient les tics de Sinatra. « Sammy passait à San Francisco, dit Tita Cahn évoquant le spectacle où Cahn reprenait seul tous ses tubes, spectacle qui connut un grand succès. Je suis allée dans les coulisses et

Supervisant une séance d'enregistrement en 1957. « Quand on écoute un album de Frank Sinatra, c'est un produit pensé par Frank Sinatra », déclare Nelson Riddles.

je lui ai dit : "Sammy, tu ne peux pas savoir à quel point tu ressembles à Frank quand tu chantes. Tu sais, quand tu te penches en arrière ? Tu crois que c'est à force de passer ton temps avec lui ? À force de le regarder aussi souvent ?" Il y a eu un blanc. Sammy s'est retourné et m'a dit : "Qui chante la chanson en premier, le chanteur ou le parolier ?" »

« Il y a trois questions sans réponse, disait souvent Cahn. Où est Frank ? Comment va Frank ? Croyez-vous que Frank passera ici ce soir ? Voilà ce que tout le monde veut savoir. » Dans les années cinquante, Cahn contribua beaucoup à l'image du séducteur débauché et de l'imprévisible interprète de *Ring-a-Ding-Ding*. Sinatra lui avait demandé d'écrire une chanson avec le compositeur Jimmy Van Heusen. Il reprit la formule favorite de Sinatra pour son premier album chez Reprise Records, qui, on ne s'en étonnera pas, s'intitula *Ring-a-Ding-Ding!* Comme le « *Hey, nonny, nonny* » de l'Ophélie de Shakespeare, ce tra-la-la était un pied de nez au sens des mots et à leur sincérité. Aussi belle que soit leur interprétation, les chansons de Sinatra à cette époque – vers la fin des années cinquante et au début des années soixante – n'exprimaient ni la vérité de sa blessure ni l'exaltation de son insouciance. *Ring-a-Ding-Ding!*

Mister **Swoon**

99

SINATRA

était une peinture des sentiments, un petit bijou. Elle remplaçait la romance populaire par la vie bien réelle de Sinatra, par son refus de souffrir qu'il noyait dans l'alcool et une vie de débauche.

Life is dull, it's nothing but one big lull,
Then presto! You « do a skull » and find that
you're reeling,
She sighs, and you're feeling like a toy on a
string
And your heart goes ring-a-ding-ding! Ring-a-
ding-ding!

L'ALCOOL TENAIT UNE GRANDE PLACE dans son arrogance et son insolence. « Frank Sinatra est, dans le sens le plus dramatique et le plus classique du terme, un alcoolique, déclare Jonathan Schwartz. Il y a là une grandeur, une violence, un apitoiement sur soi-même, une brutalité de noctambule. » Et il ajoute : « Il a fait de l'alcool un atout. Il en fait quelque chose de romantique. » Sinatra reçut un acre de terre du Tennessee de la part de la distillerie Jack Daniel's. Il avait réalisé à lui tout seul l'équivalent d'une campagne publicitaire pour leur breuvage amer. Dans les années cinquante, annonçant les petits plaisirs qu'il se permettrait dans les années soixante, Sinatra entrait en scène avec un

verre de scotch et un paquet de cigarettes. « Personne n'avait jamais fait ça avant lui, pas vrai?, disait l'auteur et le célèbre professeur de chant lyrique David Craig. Il se détruit comme aucun chanteur avant lui. » C'était une autre façon pour Sinatra d'afficher son invincibilité. « Il essaie de rabaisser son talent, soutient Tony Curtis. C'est comme un jongleur ou un gars qui marche sur la corde raide. Lui, il monte là-haut avec un verre à la main et une cigarette au bec. Ce qu'il veut, c'est vous montrer qu'il peut encore le faire. »

« *If you can use some exotic booze/ There's a bar in far Bombay* » écrivit Cahn dans l'inoubliable *Come Fly with Me*. Il offrit aussi au Rat Pack un hymne à la boisson, *Mr Booze*, dans le film *Robin and the Seven Hoods*. Cahn connaissait le numéro de Sinatra. Un soir, dans les années cinquante, recruté par Sinatra pour jouer les « pense-bête » alors que Sinatra passait à l'Empire Room au Waldorf Astoria, Cahn s'installa à une table, aux premières loges. À un moment donné, il se retourna pour se détendre la nuque. « Frank m'a balancé un coup de pied dans la cheville en me disant : "Concentre-toi", écrivit Cahn dans *I Should Care*. Pas vraiment tendre, mais personne n'a jamais dit que Sinatra avait tout, y compris du cœur. » Sur un sujet comme celui-là, Cahn trouvait

Mister Swoon

100

encore discrètement le moyen de transformer auprès du public les écarts chevaleresques de Sinatra en avantage. « *Call me irresponsible/ Call me unreliable/ Throw in undependable too.* » Il comprit que la mauvaise conduite de Sinatra devenait romantique dans ses chansons. Dans la vie, Cahn voyait les choses autrement. Tita Cahn se souvient : « Sammy disait souvent que Frank était un homme qui n'arrêtait pas de mettre le rêve à l'épreuve, de le pousser trop loin, espérant que quelqu'un allait le frapper et qu'il se réveillerait. Mais personne ne frappait. Et le rêve ne s'évanouissait pas. »

« Frank s'est créé le personnage romantique dont il rêvait, raconte Lauren Bacall. Il y avait quelque chose en lui d'un peu irréel. Je crois qu'il fantasmait un brin. Quand il chantait dans un club, il lui arrivait souvent de m'appeler pour me dire : "Je rentre à la maison ce soir. Je veux que tu sois à la maison quand je rentre." Je bondissais en pensant "Quel séducteur !" Je sautais dans ma voiture, j'allais chez lui. Je faisais les cent pas à l'attendre et tout à coup, il était là. Oh là, là. Quel instant merveilleux. Mais tout aussi facilement, la même nuit, il aurait pu me jeter dehors. Il était tout à fait capable de ce genre de revirement. » Quand, en 1958, la nouvelle du mariage de Sinatra et Bacall fut divulguée dans la presse par son agent Swifty Lazar, qui était aussi l'ami de Sinatra, Sinatra laissa tomber Lauren Bacall sur-le-champ. Des années plus tard, alors qu'il fréquentait Mia Farrow, Lauren Bacall le rencontra et bavarda chaleureusement avec lui au cours d'une réception donnée par Lazar. « Frank ne m'a jamais dit qu'il savait que Lazar était responsable de la fuite dans la presse. Il ne m'a jamais dit un mot à ce propos, assure Lauren Bacall. Swifty était assis à l'autre bout de la pièce. Avant de partir, Sinatra s'est levé et s'est dirigé vers la table de Lazar. Il a posé ses mains sur la nappe et a tiré cette fichue nappe d'un coup sec ; les verres, les assiettes, tout s'est écrasé par terre. Il lui a dit : "C'est toi le responsable de ce qui s'est passé entre nous !" Il a tourné les talons et il est parti. »

Quelque temps avant son mariage avec Barbara Blakeley Marx, après un dîner à Palm Springs, un photographe commit l'erreur de plaquer son objectif contre le pare-brise de la voiture que conduisait Sinatra. Tina Sinatra était à l'arrière avec Judy Green, une amie de la famille. « Je me rappelle avoir pris le bras de Judy, elle a serré le mien. J'avais peur qu'il écrase le photographe, raconte Tina Sinatra. Papa ne l'a pas écrasé. C'était la bonne nouvelle. Il a bondi hors de la voiture. Il a attrapé l'appareil du gars et enlevé la pellicule. Il l'a balancée sur le siège arrière exactement entre Judy et moi. À ce moment-là, il claque sa portière, nous enferme et nous partons. Personne ne dit mot. Judy qui est une mordue de photo se penche vers moi : "Tu m'entends ? Il a pris les piles, pas la pellicule…" Je l'ai regardée et je lui ai dit : "Je ne vais pas lui dire. Et toi ?" Elle a fait "Non". Et les photos ont été publiées. »

Sinatra, que Peter Lawford surnommait « le charmant terrain miné », était à la fois insulté et blessé par cette susceptibilité notoire. Son hypersensibilité en faisait à la fois un soupe au lait infernal, et le rendait plus sensible aux émotions dans les paroles. « C'est un passionné, dit Shirley MacLaine à propos de l'immense palette affective de Sinatra. Les passions sont parfois plus fortes que sa capacité à les maîtriser. Quand une chose l'ennuie vraiment, elle prend le dessus. » Sinatra se sentait obligé de se libérer aussi vite que possible d'un sentiment qui le perturbait. « Ce n'est pas délibéré de ma part. Je ne peux pas m'en empêcher », confessa Sinatra à *Playboy* en 1963. Quand je chante une complainte sur l'amour perdu, j'ai les intestins noués. Je ressens cette perte, j'exprime cette solitude. Étant un maniaco-dépressif dix-huit carats et ayant vécu une vie de violentes contradictions affectives, j'ai une propension déme-

surée à la tristesse comme à la joie. » Les chansons, comme la colère, avaient le don de mettre Sinatra hors de lui. De même que ses chansons, sa fureur opérait comme une sorte d'antidépresseur. « Il ne se montrait jamais tel qu'il était vraiment, dit Tony Curtis du personnage de chanteur. Je voyais du mécontentement, une colère, une frustration émerger du passé d'immigrant qui était le sien. » La chanson métamorphosait son agressivité en joie. « Chanter, c'était comme un paratonnerre, surtout quand il était en voix, raconte son producteur de Capitol, Dave Cavanaugh. Il déchargeait l'électricité négative. »

Quand la combativité de Sinatra commença à s'exprimer, dans les années quarante, la presse trouva cela amusant. La blague, c'était que les célèbres épaulettes

William Read Woodfield se souvient de Sinatra « engueulant » Dean Martin pour avoir « foutu en l'air » une séance d'enregistrement en 1957. Martin s'est vite rattrapé cependant ; trois jours après l'enregistrement, cent mille dollars de disques étaient sous presse et expédiés. « Frank et moi, nous étions frères, disait Dean Martin. Nous nous sommes coupé le pouce et sommes devenus frères de sang. Il voulait se couper le poignet. "Tu es cinglé ? lui ai-je dit. Ça suffit bien comme ça." »

de Sinatra étaient rembourrées avec du fric. Au Waldorf, il interrompit son spectacle et proposa à un perturbateur d'aller régler ça dehors. « NE DITES PAS QUE SINATRA EST UN POURRI À MOINS DE SAVOIR COGNER », proclamait *Down Beat* en gros titre. Avant cet incident, Sinatra avait déjà frappé Tommy Dorsey pour une remarque antisémite, bondi sur le public pour se battre contre des clients qui lançaient du pop-corn sur Jo Stafford, envoyé une carafe d'eau tellement fort sur le batteur Buddy Rich que le verre resta fiché dans le mur. Il régnait une atmosphère de danger permanent autour de Sinatra et de sa musique. Ce dernier le savait et s'assurait que ce climat de menace travaillait pour lui. Un jour, dans un restaurant londonien, Sinatra demanda au propriétaire s'il lui était possible d'acheter quelques-unes des pièces de verrerie rouge décorant l'endroit pour son amie Leonora Hornblow qui en faisait collection depuis peu. « Monsieur Sinatra, répondit le restaurateur, vous pouvez avoir absolument tout ce que vous voulez, mais cette verrerie, nous la collectionnons. Toute la pièce s'organise autour de la collection. » Leonora Hornblow revoit la scène. « Frank a dit : "Vous ne m'avez pas entendu. Je veux acheter quelques pièces de cette collection pour Mme Hornblow. Mais si vous ne voulez pas

me les vendre, je les prendrai. Vous savez que je le ferai." » Quelques pièces furent vendues à Sinatra.

Un voile terne enveloppait presque toujours les incidents que l'on rapportait sur la violence de Sinatra. Pendant la première session d'enregistrement de Capitol, en 1953, Alan Livingstone vint le retrouver, pour ainsi dire seul dans un bar de Los Angeles, le Lucy's, sur Melrose Avenue. Livingston tenta de persuader Sinatra d'arrêter de jouer au dur. « Mais, je ne fais rien. Je ne fais rien », rétorqua Sinatra. « Au bout du bar, un type nous a regardés et a dit : "Qu'est-ce que tu fous, Frank ? Tu payes un verre à ton lèche-cul ?" Frank me dit : "Tu vois, j'ai rien fait ?" Frank répond au gars : "La ferme !" Le gars répète : "La ferme ! La ferme ! Pour qui tu te prends ?" Le pianiste de Frank, et garde du corps, Hank Sanicola, attrape le gars par le bras et l'envoie valser sur le trottoir. "Tu vois, je n'ai rien fait." » Sinatra dégageait un air de suffisance que certains de ses amis trouvaient drôle. « C'est une sorte de Don Quichotte, qui se bat contre des moulins, provoquant des gens qui n'ont pas envie de se battre », disait Humphrey Bogart. Bogart trouvait la pugnacité de Sinatra « très amusante ». « En fait, ce qui est amusant, c'est qu'il est tout maigrichon, ce petit con. On dirait que ses os vont s'entrechoquer. » On retrouvait la même attitude dans ses chansons. « Il y a un truc chez Sinatra qui vous impose de respecter ce qu'il fait, sinon gare à vos fesses », acquiesce Pete Hamill. Même en coulisses, à Las Vegas, après un concert excellent, Tony Curtis nota que le visage de Sinatra « était tendu et prêt pour la bagarre ». « Quand il entrait en scène, poursuit Curtis, il avait l'air de dire : "Je vous emmerde. Bande de cons. Restez tranquille. Je vais vous montrer quelque chose." Ça faisait partie du spectacle. »

« CETTE FAÇADE DE MACHO et de dur s'est accentuée au fur et à mesure de sa carrière, raconte Nancy Sinatra Sr. Il a fini par devenir une partie de cette image. Mais il n'a jamais été vraiment comme ça, croyez-moi. » Sinatra, cependant, était satisfait de sa réputation de dur. Quand Al Capp en fit un mythe sous les traits de Danny Tempest dans la bande dessinée *Li'l Abner*, Sinatra le remercia. Quand il prit position contre les préjugés raciaux, il fit entendre la voix de la tolérance. « Quand quelqu'un me traitait de sale petit métèque, il n'y avait qu'une seule chose à faire, lui casser la figure, raconte Sinatra, évoquant son enfance dans les quartiers difficiles d'Hoboken. Avec l'âge, j'ai com-

pris que ce n'était pas comme ça qu'il fallait s'y prendre. J'ai compris qu'il fallait y arriver par l'éducation, à quelques exceptions près peut-être. » Il n'était certainement pas bâti pour ce personnage de dur qui lui collait de plus en plus à la peau. « Il n'aurait même pas crevé une baudruche avec ses poings, dit Lauren Bacall. Du coup, il se mettait à débiter un chapelet d'injures. Il était toujours accompagné d'un de ses gros bras. » Sinatra plaisantait sur les incidents de ce genre. « On l'a sonné. » C'était son mot sur la question. Une plaque en or sur un des portails de Palm Springs attirait l'attention sur le caractère notoire du propriétaire :

Ne faites pas attention au chien.
Méfiez-vous du propriétaire.

LES COLÈRES DE SINATRA ne donnaient pas envie de rire. Que sa carrière n'ait pas été ruinée par un tel comportement en dit long sur son talent. Mais ce n'était pas tout ; elles ne faisaient que renforcer les contrastes entre zones d'ombre et de lumière, qui firent sa légende. Le démenti était une façon pour le Rat Pack de s'accommoder du comportement scandaleux de Sinatra. « Le roi ne peut pas faire de mal » : telle était leur devise. « J'ai fait tout ce que j'ai pu pour qu'il tempère son

Mister **Swoon**

En répétition avec le pianiste Bill « Sunshine" Miller, 1957.

Page de droite : Frank refusait de voir quelqu'un d'autre en régie, à la console. « Laisse-moi cette fichue console tranquille », hurlait-il. Le batteur Johnny Blowers se souvient des séances d'enregistrement quand Mitch Miller était producteur.

caractère », convient Peter Lawford qui se souvient l'avoir vu un jour faire passer une fille à travers une vitre au cours d'une réception à Palm Springs. Avec le temps, Lawford passera aux yeux de Sinatra du statut de membre bien-aimé du Rat Pack à celui de rat tout court. Autrefois insouciant, il réagit désormais ironiquement devant la violence du chanteur : « Vous avez peut-être l'impression que le gentleman en question était un ogre, écrivit Peter Lawford dans *The Peter Lawford Story*. Loin de là. Ce n'est pas parce qu'il a battu quelques filles sans défense, cassé quelques appareils de photographes de presse en train de faire leur travail, fait tabasser plusieurs voituriers coupables de cet impardonnable faute au regard de l'échelle sociale, ne pas avoir garé sa voiture en tête de file devant le restaurant des Romanoff, ou ce qui est certainement la plus tristement célèbre de ses frasques, parce qu'il a ordonné à l'un de ses gardes du corps analphabète mais d'une loyauté aveugle, de planter un cendrier en verre dans la tête d'un homme assis à côté de lui au Polo Lounge du Beverly Hills Hotel, qu'il avait surpris en train de faire une remarque légèrement désobligeante à son sujet... Non. Vous voyez bien. Il n'est pas que mauvais. »

Les altercations partaient souvent d'une humiliation réelle, parfois imaginaire. « Quand il pensait avoir été insulté, c'était un vrai sauvage », déclare le chanteur Eddie Fisher. Le plus souvent, devant une insulte, il s'en sortait en retournant l'humiliation contre son auteur. Un jour, au Chasen's, Sinatra rencontra par hasard Mario Puzo, dont le personnage fictif de Johnny Fontaine, dans son roman *Le Parrain*, avait entaché la réputation du chanteur. Il laissait croire à l'imagination populaire que Sinatra avait gagné le rôle de *From Here to Eternity* grâce à l'influence de la mafia. Sinatra incendia Puzo en plein restaurant. « Étouffe-toi, barre-toi et étouffe-toi, espèce de maquereau ! » hurla Sinatra à l'adresse de Puzo qui sortit du restaurant. Une autre fois, apercevant la chroniqueuse mondaine Dorothy Kilgallen assise dans un night-club, des lunettes de soleil sur le nez, Sinatra jeta un billet d'un dollar dans son verre, ajoutant : « J'ai toujours pensé que vous étiez aveugle. » Il augmenta la mise en 1973, quand Maxine Cheshire du *Washington Post* s'approcha de lui alors qu'il sortait de la limousine de Ronald Reagan pour se rendre au dîner du gouverneur, au ministère des Affaires étrangères. Il y était invité par le vice-président Spiro Agnew, un ami de Sinatra. « Monsieur Sinatra, pensez-vous que votre présumée association avec la mafia s'avérera aussi embarrassante pour le vice-président Agnew qu'elle l'a été pour le gouvernement Kennedy ? », demandat-elle. Sinatra, ce soir-là, lui répondit poliment, mais n'oublia pas cette question provocante soufflée à Cheshire par son rédacteur en chef. Quelques mois plus tard, lorsqu'il la retrouva dans une réception pré-inaugurale, en pleine conversation avec sa femme, il rendit à Cheshire la monnaie de sa pièce, l'humiliant en retour. « Écartetoi de mon chemin, ordure. Rentre chez toi et va prendre un bain. Tu pourras imprimer ça, Mlle Cheshire ! » Il se tourna vers l'assistance. « Vous connaissez Mlle Cheshire, n'est-ce pas ? Vous sentez cette puanteur ? Ça vient d'elle. » Puis, vers elle : « Tu n'es qu'un con à deux dollars. Un con, tu sais ce que ça veux dire ? Toute ta vie, tu t'es couchée pour deux dollars », lui dit Sinatra en jetant deux dollars dans le gobelet en plastique qu'elle tenait à la main, puis il quitta dignement la réception avec sa femme. L'incident fit grand bruit. Quand les reporters demandèrent à Dolly Sinatra ce qu'elle en pensait, elle répondit : « Deux, c'était encore un de trop. » Toute sa vie, Sinatra a fait de la scène une chaire de despote, du haut de laquelle il admonestait la presse. Quand il chantait *I Can't*

Get Started dont les paroles étaient : « *All the papers, where I red the news/With my capers, now will spread the news* », au mot « *papers* », « les journaux », son visage devenait hargneux et il crachait. Il s'en prit aussi à Barbara Walters (« la nana la plus laide de la télévision »), à Rona Barrett (« Qu'est-ce qu'on pourrait dire d'elle qui n'ait pas déjà été dit sur... la lèpre ? ») et à Liz Smith (« Tellement laide que chez l'analyste, elle doit s'allonger sur le ventre »). Cette manie de régler ses comptes en public n'était pas ce que Sinatra faisait de mieux mais elle avait un effet psychologique salutaire sur le bourreau de travail qu'il était, celui de maintenir sa flamme.

« C'est un adepte de la punition. Un vrai tyran », témoigne Jonathan Schwartz, qui pendant plus de dix ans tint le rôle de président du Conseil dans son émission *Sinatra Saturday*. Il se vit contraint de quitter WNEW pour trois mois de « congé sabbatique » pour avoir qualifié le troisième volet de l'album *Trilogy*, sorti en 1980, de « montagne de narcissisme ». Dans *My Way*, l'hymne des dernières années de sa carrière qu'il finit par détester, Sinatra chantait « *The record shows I took the blows/And I did it my way.* » En fait, l'histoire montra qu'il n'était pas le seul à avoir pris des coups. En 1967, alors que le Sands venait de lui

Le Boss.

retirer son crédit, Sinatra prit sa revanche en signant un contrat au Caesar's Palace. Il mit le Sands sens dessus dessous : il menaça les croupiers, fit exploser une vitre avec un chariot de golf, brisa des meubles avant d'essayer d'y mettre le feu pour enfin se retrouver face à face avec le directeur, Carl Cohen. « Je te crèverai, espèce d'enfoiré d'enfant de salaud », lança-t-il à Cohen. Sur ce, Cohen lui fit sauter les couronnes de ses dents de devant. (Sinatra en riait plus tard : « Ne frappez jamais un juif dans le désert », disait-il.) « Sa colère devait être double, estime Pete Hamill évoquant les crises de rage de Sinatra. Une colère contre l'objet de son emportement et une colère contre lui-même en un sens, parce qu'il perdait son sang-froid et laissait fondre ce vernis chic trop facilement. »

Alors que le pouvoir de Sinatra augmentait avec les années, et qu'il entreprenait de faire lui-même sa propre police, il régla tout conflit en privant les autres du plaisir de sa compagnie et en évitant de se lier. « Tu n'existes pas pour moi » était une de ses sorties favorites quand il était en colère. Elle illustre parfaitement son cheminement intérieur. Après avoir laissé tomber Lauren Bacall, Sinatra la croisa par hasard à Palm Springs. « Il m'a regardée comme si j'étais transparente. C'était absolument terrifiant.

Je n'ai jamais vécu une expérience pareille, ni avant, ni après », raconte-t-elle. La regrettée danseuse Juliet Prowse téléphona à Shirley MacLaine après la rupture de ses fiançailles avec Sinatra. « Je lui ai seulement dit que je voulais qu'il rencontre ma famille en Afrique du Sud, explique Prowse. Il a pris ça comme un affront. Il ne veut plus me parler désormais. » Sinatra appella Shirley MacLaine, il lui dit : « Elle [Prowse] ne veut pas vraiment m'épouser, mon petit. Je me fiche d'être acceptable aux yeux de qui que ce soit. » Ses amis étaient parfois bannis, pour une semaine, ou pour toujours. Phil Silvers fut écarté à la fin des années cinquante après la programmation par CBS du *Phil Silvers Show* à la même heure que la nouvelle version du *Frank Sinatra Show* sur ABC. « Il fallait que tu passes le vendredi, hein ? » lui demanda Sinatra. Il n'adressa plus la parole à Silvers pendant seize ans. Pete Lawford mordit deux fois la poussière. D'abord pour avoir été le premier petit ami d'Ava Gardner après son divorce avec Sinatra. « Il a menacé de me tuer et m'a battu froid pendant cinq ans », insiste Lawford, à nouveau rayé des listes lorsque les Kennedy déclinèrent son invitation à Palm Springs après les élections, uniquement parce qu'il était marié à Patricia, la sœur de Kennedy. En

1959, Sammy Davis Jr se plaignit de Sinatra auprès d'un journaliste de Chicago, déclarant : « Je me fiche bien que tu sois l'artiste le plus talentueux au monde. Ça ne te donne pas le droit d'écraser les autres, ni d'être dur avec eux. » Davis passa plusieurs mois au purgatoire. Il ne rentra au bercail qu'après avoir présenté des excuses publiques pour son emportement.

George Jacobs, le séduisant majordome de Sinatra, à son service pendant plus de dix ans, ne connut pas cette chance. Sinatra se prit de jalousie pour Jacobs après qu'une rubrique mondaine rapporta l'avoir vu danser dans un club d'Hollywood avec Mia Farrow, la veille de la déclaration officielle de son divorce avec Sinatra. Quand Jacobs rentra à Palm Springs, Sinatra s'était enfermé dans sa chambre et refusait de parler au majordome. Celui-ci se vit remercié par un avocat. « Après quatorze ans ensemble, me jeter dehors comme ça, il aurait au moins pu me le dire en face », s'insurge Jacobs auprès de Kitty Kelley. Jacobs jeta tous les cadeaux de Sinatra. Il vendit ses parts de Reprise Records. Et de poursuivre : « Je l'ai soigné après ses tentatives de suicide… Je l'ai aidé à oublié Ava… J'ai même joué les infirmières après ses implants capillaires… À chaque fois, j'ai emmené les filles à la clinique pour leur avortement, j'ai traité chacune de ces dames comme une reine, comme il me l'avait demandé. Combien de femmes il a eu dans sa vie ! Je me souviens encore de Lee Radziwill se faufilant dans sa chambre. Comment je le sais ? Je l'ai entendu. J'avais toujours une chambre à côté de celle de Frank, pour qu'il puisse taper au mur si jamais il avait besoin de quelque chose. »

LE CLIMAT D'INTIMIDATION qui entourait Frank se retrouvait dans les blagues des comédiens de Las Vegas. Shecky Greene : « Frank Sinatra m'a sauvé la vie un jour. Une bande de types m'était tombée dessus sur le parking. Ils me cognaient, me tabassaient avec leurs matraques quand Frank a débarqué et a dit : "Ça suffit les gars." » Don Rickles : « Allez, Frank, laisse-toi aller. Cogne. » Jackie Mason, qui toujours évita Sinatra, supposait qu'il avait dû faire quelques blagues sur Mia Farrow pendant son passage à l'Aladdin Hotel au début des années quatre-vingt. Sinatra monta sur scène après le numéro de Mason et y alla de son couplet : « "Ce branleur de rabbin. Pour qui il se prend, cet enculé ?" "Va te faire foutre", et j'en passe, raconte Mason. Je ne comprenais pas ce qui me tombait dessus. Tout ce que je sais, c'est que quelques semaines plus tard, j'ai ouvert la

portière d'une voiture et – vlan – un poing
a jailli et m'a bousillé le nez. Le temps que
j'ouvre les yeux, il avait déjà disparu. J'ai
interrogé un paquet de petits voyous. Ils
n'ont pas prononcé le nom de Sinatra. Mais
au fond, je pense que ça devait venir de
lui. » La menace de Sinatra n'était peut-être
pas vérifiable, mais tout cela contribuait à
forger son aura de pouvoir et à cette réputation de justice personnelle renforcée par
son amitié avec les truands et les présidents.

Parmi les amis de Sinatra, le plus puissant des puissants fut bien entendu
John F. Kennedy, pour qui il servit à la fois
de collecteur de fonds et d'entremetteur.
Kennedy, que Sinatra appelait familièrement « ma poule », aimait s'amuser et faire
la nouba avec la bande de Sinatra qui
réunissait une belle brochette de stars. Sinatra remercia *chicky boy* de l'honneur de
sa compagnie en rebaptisant quelque
temps sa bande le Jack Pack. Il présenta
même Kennedy à l'une de ses petites amies,
Judith Campbell, qui eut plus tard une liaison avec Sam Giancana. Sinatra travailla
dur pour la campagne
des Kennedy au cours **« Sinatra Inc.**
de la tournée des pri- **tournait en 1962**
maires, mais plus impor- **à plein rende-**
tant encore, il travailla **ment avec trois**
films à l'écran. »

en coulisses. L'élection présidentielle de 1960, que Kennedy ne remporta que de cent dix-huit mille cinq cents voix sur soixante-huit millions de votes, bascula en sa faveur grâce aux quartiers ouest de Chicago contrôlés par la pègre, dont le soutien avait été mobilisé suite aux efforts du chanteur. « Kennedy devait son élection à Frank, déclara Skinny d'Amato. Tous les gars le savaient. » Sinatra fut invité à Hyannis Port, il voyagea dans l'avion privé du président, partit en croisière avec lui sur le *Honey Fitz,* il accompagna même Jackie Kennedy, qui lui refusa l'entrée à la Maison-Blanche, au gala d'investiture qu'il avait organisé.

Si la position suprême de Kennedy confirmait l'éclat de l'étoile de Sinatra, le sombre passé de l'artiste était rappelé par la présence continuelle des petits voyous qui l'attiraient. Au fil des ans, Sinatra avait fréquenté toute une galerie de truands : Willie Moretti, Joe Fischetti, Lucky Luciano, Carlo Gambino, mais surtout Sam Giancana, le chef de la pègre de Chicago dans les années cinquante qui l'avait baptisé « le Canari ». L'impudence éhontée de Sinatra venait en partie de la philosophie de la rue, de la conviction que le crime était une libre entreprise qu'on avait mise à bas et qu'il y avait une légère nuance entre être un criminel et commettre un crime. « Si ce que vous faites est honnête et que vous réussissez, vous êtes un héros, dira Sinatra. Si ce que vous faites est malhonnête, et que vous réussissez, vous êtes un minable. Moi, j'ai essayé de chanter. » Sinatra se tenait à la limite de la respectabilité et de la rapacité. Il avait appris les manières de la classe dominante et jouissait de tous ses plaisirs. Ce que les membres de la pègre lui offraient, c'était le revers de la médaille. Ils ne possédaient rien. Ils vivaient dans l'ombre, une ombre à laquelle le personnage public qu'était Sinatra ne pouvait que faire allusion dans ses chansons. « Ils l'impressionnaient, dit Lauren Bacall. Il les trouvait fascinants. Il y avait toujours un de ces types avec lui. Je me souviens de ma rencontre avec Joe Fischetti. On le présentait toujours sous le nom de Mr Fish. Il habitait chez Frank quand il venait à Los Angeles. Et tout à coup vous comprenez, et là vous pensez : "Eh, attends un peu, ce type, il a peut-être tué quelqu'un. C'est un vrai truand." »

Sur scène, où ces fréquentations conféraient à Sinatra un air dur et menaçant, il lui arrivait de plaisanter sur le milieu. En dehors, il préférait se taire. « Bizarrement, il pensait que personne n'était franchement certain qu'il les connaissait vraiment, raconte Shirley MacLaine. Je ne sais pas pourquoi. Je sais seulement que Sam

Giancana m'a appris à jouer au gin-rami quand on tournait *Some Came Running*. Il y avait un pistolet à eau sur le réfrigérateur. Quelqu'un sonna à la porte. J'étais une sorte de majordome, j'ouvrais la porte, et je réceptionnais les cannolis, les chocolats, les fleurs, etc. Tout à coup, il me revint que j'avais déjà vu ces yeux de truand. J'attrapai le pistolet. Je le pointai sur Giancana pour jouer, et je lui dis : "Je ne vous ai pas déjà vu quelque part?" Sam a bondi et a sorti un P. 38, un vrai, qu'il serrait dans sa veste. Dean Martin et Frank sont entrés juste à ce moment-là. Ils étaient tordus de rire. Ils ont raconté cette histoire au monde entier. » Quand Hamill évoqua pour la première fois ce sujet sensible de la pègre avec Sinatra, celui-ci lui dit seulement : « Si je parlais de certains de ces types, quelqu'un pourrait bien venir frapper à ma putain de porte. » Mais il ajouta plus tard : « J'ai passé pas mal de temps à bosser dans les bars… J'étais un gosse… Ils nous payaient, et les chèques n'étaient pas en bois. Je n'ai jamais rencontré un prix Nobel dans un bar. Mais si saint François d'Assise avait été chanteur et avait travaillé dans un bar, il aurait rencontré les mêmes types. »

Un rapport de dix-neuf pages du ministère de la Justice datant de 1962 suggérait que Sinatra avait des contacts avec une dizaine de grands truands, dont certains avaient son numéro alors qu'il était sur liste rouge. Il s'ensuivit que Sinatra devint, selon les termes de Pete Hamill, « l'artiste américain sur lequel on a le plus enquêté depuis John Wilkes Booth ». La presse voulait voir de la corruption dans les relations de Sinatra avec la pègre, bien qu'elle n'ait jamais été prouvée. Ce n'est pas le fric, mais le confort que la pègre offrait vraiment à Sinatra. En compagnie de ces hommes violents, il n'était pas jugé pour sa propre nature violente. Il pouvait laisser tomber le masque du raffinement et embrasser son ombre.

DANS UN DES LIVRES qui lui sont consacrés, une de ses filles place en épigraphe ces mots de Sinatra : « Peut-être y a-t-il une certaine valeur dans une luciole, ou dans une chandelle romaine éphémère ? » La voix de Sinatra, comme il le savait pertinemment, illumina sans faiblir soixante années de la vie des Américains, trois générations de fans. Sinatra fit campagne pour Franklin D. Roosevelt qui le reçut à la Maison-Blanche. Il était encore là pour chanter au gala d'investiture de Ronald et Nancy Reagan. Il chanta sous tous les climats politiques. Dans les années quarante, avec *The Song Is You, All or Nothing*

1962. Le Conseil. Sinatra dirige une salle pleine d'attachés de presse, de comptables, de producteurs, de conseillers juridiques et autres collaborateurs.

Mister Swoon

at All et *I'll Never Smile Again*, il tranquillisa la nation. Pendant le boom économique des années cinquante, sa voix incarna l'insouciance de la prospérité : *Young at Heart, Come Fly with Me, Oh, Look at Me Now !* Dans les années soixante, il annonça l'optimisme de l'ère Kennedy avec *All the Way, The Best Is Yet to Come, High Hopes* qui sera réécrite pour en faire l'hymne de campagne de John F. Kennedy. Il était toujours là dans les années quatre-vingt, chantant l'air de la croissance et de l'autosatisfaction des années Reagan avec *My Way*.

Pendant toutes ces années, Sinatra ne cessa de se battre pour actualiser son style. Dans les années soixante, sous sa propre enseigne, Reprise Records, il produisit quelques grands albums. À la même époque, presque imperceptiblement, alors que les goûts populaires en matière de musique viraient à cent-quatre-vingt degrés, les disques de Sinatra dégénérèrent peu à peu en albums de reprises. Ils regroupaient des singles comme *That's Life* sans parler de *Sinatra's Sinatra* dans lequel il se contentait de reprendre ses titres de Capitol. (Ce qui offrit à Jonathan Schwartz ce trait d'esprit : « Reprise Records, qui signifiait pour Sinatra "écouter et réécouter", signifiait en fait "enregistrer et réenregistrer". ») Les temps changeaient, et Sinatra dut travailler pour

rester dans le coup. Il s'essaya à la bossa-nova avec le brésilien Antonio Carlos Jobim. Il exploita le filon jazz en collaborant avec Duke Ellington et Count Basie. Il en résulta une tournée avec l'orchestre de Basie et l'enregistrement de trois albums avec ce dernier, y compris l'exceptionnel album live *Sinatra at The Sands*. Au milieu des années soixante cependant, avec l'arrivée des Beatles et l'invasion britannique, les stations de radio furent colonisées par le rock'n'roll. Un soir, avant d'entrer en scène à Las Vegas, Sinatra regarda la salle et dit à Jimmy Van Heusen, qui se trouvait à ses côtés : « Regarde-moi ça. Pourquoi n'achèteraient-ils pas les disques ? » « Évidemment, ses disques se vendaient par millions, explique Jonathan Schwartz à qui Van Heusen raconta l'anecdote. Ce qu'il voulait dire, c'était : "Pourquoi n'ai-je pas de single au hit-parade ?" »

Les singles de Sinatra connurent néanmoins quelques courtes périodes de gloire dans les années soixante : *Strangers in the Night, That's Life, My Way* et *Something Stupid*, un duo avec sa fille Nancy qui arriva en tête du hit-parade en 1967 et qui fut le premier single disque d'or. Il avait depuis longtemps qualifié le rock « d'aphrodisiaque qui pue le rance », et il essayait à présent de se convertir et d'étoffer son propre répertoire avec des titres de Neil Sedaka, de Joni Mitchell, de Paul Simon, de Stevie Wonder et des Beatles. « La plupart des chansons de rock que Frank a enregistrées ont été affreusement mal accueillies, écrit le critique musical John Rockwell dans *Sinatra*. Avec un phrasé vocal trop rigide et, pire, des arrangements instrumentaux désespérément anachroniques. Il était complètement à côté de la plaque dans *Both Sides Now* de Joni Mitchell. Il a fait de la bouillie de *Mrs Robinson* de Paul Simon et bien qu'il ait fini par avoir un bon arrangement dans la deuxième version de *Something* de George Harrison, très longtemps il a annoncé cette chanson en l'attribuant à John Lennon et Paul McCartney. »

Sa retraite de 1971 fut de courte durée. Dès 1973, en réponse aux trente mille lettres de fans et à son propre cœur troublé, il fut de retour en studio et reprit peu après la route. Il fit sa rentrée avec un nouveau postiche, et un nouveau répertoire courageux. Au lieu de se reposer sur ses standards, Sinatra travailla des chansons difficiles comme *Winners, You Will Be My Music, There Used to Be a Ballpark, Noah, Dream Away'* et *Send in the Clowns*. Sa voix était plus staccato désormais, et l'orchestre remplissait les blancs. Mais il avait gardé la foi en son public, et son public la foi en lui.

En 1975, Sinatra s'offrit une pleine page de publicité dans le *Los Angeles Times* : « L'ANNÉE A ÉTÉ EXCELLENTE. PAYS : 8 – VILLES : 30 – ENTRÉES : 483 261 – NOMBRE TOTAL DE REPRÉSENTATIONS : 140 – BÉNÉFICE : 7 817 473 DOLLARS. » Sinatra avait encore quelques tours dans son sac. La très agréable première place de *Trilogy*, un album de 1979, et les deux albums *Duets* de 1993 et 1994, plusieurs fois disques de platine, dans lesquels il chante avec des vedettes contemporaines telles que Barbra Streisand, Jimmy Buffett, Carly Simon et Stevie Wonder. Sinatra, toujours en quête d'un nouveau public, le trouva une fois encore, même si le produit était bien en dessous de sa perfection habituelle. « Je suis un braillard maintenant, chérie », l'entendra-t-on dire à la foule, à la fin des années quatre-vingt. Sa dernière grande performance musicale fut *New York, New York*. Selon Jonathan Schwartz, dans les années quatre-vingt, Sinatra se contentait de marquer le tempo.

Vers le début des années quatre-vingt, Shirley MacLaine assista au spectacle de Sinatra, au Caesar's Palace. « Je ne sais pas ce qui le gênait, mais la magie n'était pas au rendez-vous. Il gâcha le spectacle. Il était pressé d'en finir. » Plus tard, au moment du dîner, comme Sinatra lui demandait ce qu'elle en avait pensé, elle lui répondit par

**Pages précédentes :
À la fin des années
cinquante, Sinatra
était propriétaire de
trois avions. Il avait
baptisé le premier
El Dago. Ici, le *Christina*, sur le tarmac
de Mexico où il va
donner un concert
de bienfaisance.**

un discours bien senti : « Frank, tu n'as pas le droit d'oublier que tu as aidé des tas d'entre nous à sortir de la Seconde Guerre mondiale et du New Deal, que tu as fait notre éducation musicale. S'il te plaît, ne gâche pas ça. Ce serait manquer de respect à tout ce que tu as représenté pour le pays. Tu passes peut-être pour une ruine aux yeux de certains, mais pour la plupart d'entre nous cette ruine est un monument. » Sinatra fut éblouissant lors de la deuxième représentation. « Oh, ses yeux… On aurait dit qu'il n'avait pas entendu ça depuis bien longtemps. »

Au début des années quatre-vingt-dix, Sinatra commença à avoir des trous de mémoire. « Il s'excusait auprès du public, explique le pianiste Bill Miller. Eux lui disaient. "Hé, Frank. On s'en fiche !" Et c'était vrai. Ils venaient pour le voir lui. Puis le doute l'assaillait et on le voyait secouer la tête comme pour dire "Je ne veux pas qu'ils aient pitié de moi." »

L'œuvre de Sinatra est sa légende. Sa légende est son œuvre. On ne s'étonnera pas qu'il ait esquivé l'autobiographie ou la biographie officielle. « Il y a trop de choses dans ma vie dont je ne suis pas fier », disait-il. Inévitablement, en tant qu'héritiers de ce célèbre *must*, tous les enfants de Sinatra ont revendiqué leur père absent en prolongeant une part de la légende. « Tu dois faire les choses comme il faut, lui dit Nancy. Tu ne peux pas laisser les gens écrire des horreurs. » Elle a publié deux beaux livres illustrés qui sont un panégyrique du vieil homme. Tina a produit une série télévisuelle de cinq heures sur la vie de Sinatra ; Frank Jr a sorti le CD *As I Remember It* en 1996, avec de nouvelles orchestrations des standards de Sinatra. Difficile de faire de la vie de Sinatra une vie idéale, remplie comme elle est de bandits, de barbarie, et de compromis tout aussi brutaux envers lui-même qu'envers les autres. Mais Sinatra n'a pas cessé de se repentir à travers la seule chose qu'il savait faire : chanter.

À NEW YORK, LE SOIR de son quatre-vingtième anniversaire, l'Empire State Building s'illumina de bleu pour *Ol' Blue Eyes*. À Los Angeles, au Shrine Auditorium, Frank et Barbara Sinatra étaient attablés au premier rang comme le Roi-Soleil et sa reine. Derrière eux, l'auditorium brillait de tous ses lustres tandis qu'une

Mister **Swoon**

assemblée aussi riche que célèbre assistait en tenue de gala à l'hommage télévisé rendu à Sinatra et à sa carrière. Un par un, les grands noms de la culture populaire américaine s'avancèrent pour chanter ses louanges. Le premier à lui donner la sérénade fut Bruce Springsteen – un Boss du New Jersey devant un autre Boss. « La première fois que j'ai entendu la voix de Frank, c'était sur un juke-box, dans la pénombre d'un bar, un dimanche après-midi, pendant que ma mère et moi, on cherchait mon père, déclara Springsteen avant d'entamer *Angel Eyes*. Je me souviens qu'elle m'a dit : "Écoute ça, c'est Frank Sinatra. Il vient du New Jersey." C'était une voix qui respirait le mauvais genre, la vie, la beauté, une voix chargée d'excitation, d'un méchant sens de la liberté, de sexe et d'une triste expérience de la marche du monde. On aurait dit que chaque chanson avait en post-scriptum : "Si t'aimes pas ça, prends celui-là dans la gueule", poursuivit Springsteen. Mais c'était le blues profond de la voix de Frank qui me touchait le plus. Sa musique devenait peut-être synonyme de nœud papillon, grande vie, grands crus, jolies femmes et raffinement, sa voix blues représentait toujours la chance qui vous fuit, ces hommes, au fond de la nuit, leur dernier billet de dix dollars en poche, qui cherchent un moyen de s'en sortir. Au nom de tout le New Jersey, Frank, laisse-moi te dire : "Salut, frangin, tu as craché l'âme de tes frères." »

Springsteen avait rencontré Sinatra pour la première fois quelques mois auparavant, chez ce dernier, à Beverly Hills. Après le souper, les hôtes se rassemblèrent autour du piano. Parmi eux, Bob Dylan, Steve Lawrence, Eydie Gormé, la chanteuse Patti Scialfa (la femme de Springsteen), les producteurs George Schlatter et Mace Neufeld, et Tita Cahn. « On sentait Frank, vous savez, comme un pur-sang sur la ligne, prêt au départ, raconte Tita Cahn. Ils ont chanté en chœur pendant un moment puis quelqu'un a suggéré un des premiers tubes de Sinatra et Sammy Cahn *Guess I'll Hang My Tears Out to Dry*. Le groupe a attaqué :

When I want rain,
I get sunny weather;
I'm just as blue as the sky,
Since love is gone,
Can't pull myself together,
Guess I'll hang my tears out to dry.

"Arrêtez", les interrompit Sinatra. "Vous savez bien que je chante en solo." »

Et seul, il a terminé la chanson.

Mister **Swoon**

125

Dans sa loge au Fontainebleau Hotel, à Miami Beach, attendant l'entrée en scène. Pages suivantes : sur scène, à Las Vegas, 1966.

Repères

DISCOGRAPHIE SÉLECTIVE

par Sacha Reins

ONLY THE LONELY (Capitol, 1958)
C'est l'album du désespoir, enregistré alors que sa vie et sa carrière étaient momentanément brisées. Sinatra était fauché, seul, Ava Gardner l'avait quitté et le public se désintéressait de lui et commençait à lui préférer un jeune bouseux du Tennessee, Elvis Presley. Sur cet album arrangé par Nelson Riddle, il interprète somptueusement les chansons les plus sombres du répertoire populaire. Un album qui, en raison de sa noirceur doit être, dit-il, « consommé avec prudence » et ne devrait être vendu « que sur ordonnance ».

SINATRA-BASIE « *An Historic Musical First* » (Reprise, 1963)
C'est le premier volet des trois albums qu'il enregistra avec le *big band* de Count Basie et c'est aussi celui qui se rapproche le plus du style vocal des chanteurs légendaires de l'orchestre : Joe Williams et Jimmy Rushing. L'orchestre de Basie ronronne avec puis-

sance mais Sinatra reste le maître des opérations. Possédant une oreille absolue, il n'est pas rare que le chanteur interrompe une prise pour signaler que le troisième trompette a raté une note.

SONGS FOR SWINGIN' LOVERS! (Capitol, 1956)
Enregistré juste avant l'explosion du rock et de la pop, cet album réunit quinze clas-

siques du swing signés Cole Porter, Johnny Mercer ou Gershwin et arrangés par Nelson Riddle. On dirait que Sinatra, comme s'il pressentait que bientôt tout allait changer musicalement, avait voulu enregistrer le parfait album swing et cool.

IN THE WEE SMALL HOURS (Capitol, 1955)
Premier album de la trilogie

dramatique (avec *Only the Lonely* et *Where Are You*) qui marque la fin de la première partie de sa carrière. Sinatra se rapproche du style vocal de celle qu'il cita souvent comme une des ses plus grandes influences, Billie Holiday.

SEPTEMBER OF MY YEARS
(Reprise, 1965)
Sinatra va avoir cinquante ans et, bien qu'ayant réussi à redevenir une immense star alors que tout le monde le disait fini quelques années

auparavant, il s'interroge à nouveau sur son futur. Le boulet qui l'avait frôlé dix ans avant lui avait fait comprendre qu'il n'était pas à l'abri des fluctuations des modes ; cet album blasé,

amer, nostalgique et ironique suggère une éventuelle fin prochaine. Il ignorait qu'il n'avait pas encore enregistré ses plus grands succès.

FRANCIS ALBERT SINATRA & ANTONIO CARLOS JOBIM
(Reprise, 1967)
Conscient qu'il était temps de changer de matériel et qu'il ne pouvait pas revenir éternellement piocher dans le répertoire des standards, Sinatra – pas encore prêt dans sa tête à chanter du Lennon-McCartney – se tourna vers cette nouvelle musique qui arrivait du brésil et qu'on appelait bossa-nova. Il interprète ici en compagnie de leur auteur Carlos Jobim quelques chansons qui devinrent des classiques du genre : *The Girl from Ipanema, Dindi, Quiet Nights of Quiet Stars, How Insensitive*. « Je n'avais jamais chanté aussi doucement depuis que j'ai eu une laryngite », plaisanta le chanteur à l'issue des sessions.

FRANCIS A. & EDWARD K.
(Reprise, 1968)
Cela faisait trente ans que Francis A. Sinatra nourrissait la plus grande des admirations pour Edward Kennedy

Ellington dit « le Duke ». Cependant, pour leur seule et unique rencontre, Sinatra (peut-être parce que cet orchestre l'impressionnait et qu'il voulait rester maître du jeu et non pas devenir le chanteur d'Ellington) imposa son arrangeur Billy May qui s'appliqua à imiter les orchestrations du Duke et ne chanta qu'une seule composition du maître *I Like the Sunrise*. Cet album reste néanmoins un des plus beaux que Sinatra ait enregistré. On ne regrettera que sa courte durée de trente cinq minutes.

FRANK SINATRA « LIVE IN AUSTRALIA, 1959 » (Blue Note, 1997)
La commercialisation en 1997 de ce concert enregistré à Melbourne en 1959 avait fait grimacer de contrariété ceux qui possédaient sa version pirate vinyl (qui avait brusquement perdu cinquante pour cent de sa valeur sur les marchés de disques rares) mais ravit tous ceux qui la

cherchaient depuis trente ans. De tous les albums publics de Sinatra, celui-ci est (avec celui enregistré à Las Vegas en 1966 en compagnie de Count Basie) le meilleur. Le phénoménal succès que Sinatra remportait auprès d'un public principalement féminin grâce à ses ballades romantiques occultait le fait qu'il était, avant d'être un crooner, le plus grand chanteur de jazz de son époque. Cet album a été enregistré au cours d'une tournée australienne où le chanteur était accompagné par le quintet du vibraphoniste Red Norvo. Sinatra appréciait particulièrement ces petites formations nerveuses qui lui permettaient de swinguer en toute liberté, de sortir de la structure de la mélodie sans s'inquiéter pour les musiciens capables de le suivre à vue, exercice impossible avec un

grand orchestre aux orchestrations très strictes. C'est donc un Sinatra exultant de bonheur que l'on peut suivre tout au long de ces dix-sept chansons (les deux premiers titres sont instrumentaux). Le répertoire est composé de standards, mais sa façon nonchalante, ironique ou grave de les traiter leur apporte une dimension émotionnelle nouvelle. Quant au swing, il jaillit de partout.

SINATRA AT THE SANDS
(Reprise, 1966)
Sinatra et Basie se connaissaient bien, ils partageaient souvent la même scène, le second assurant au premier un accompagnement survitaminé qui ressuscitait les ambiances swing de l'après-guerre. Sinatra avait pris l'habitude d'enregistrer tous les concerts qu'ils donnaient ensemble, mais de toutes les

bandes qu'il possédait aucune n'égalait celle-ci. C'était un concert parfait, une de ces nuits magiques où tout le monde est au sommet de sa forme. Un album indispensable car il est peut-être le seul qui ait capturé l'essence et le charisme de Sinatra en scène.

MY WAY (Reprise, 1969)
Ce n'est pas, loin s'en faut, le meilleur album de Sinatra, il ne serait même pas digne de figurer dans ses vingt meilleurs s'il ne contenait la chan-

son qui est devenue l'hymne de la fin de sa vie. C'est Paul Anka qui a écrit, sur la mélodie de *Comme d'habitude* de Claude François, un texte sur mesure pour le crooner qui y résume sans amertume ni regret sa philosophie de vie. Lors de la première écoute Frank Sinatra n'aima pas cette chanson qui évoquait trop la fin de sa carrière et de sa vie, mais il comprit vite qu'au contraire ce testament prématuré pouvait une nouvelle fois le faire rebondir. Il ne se trompait pas.

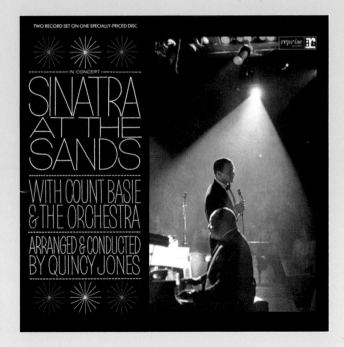

DUETS (Capitol, 1993)
Pour cet album exclusive-
ment composé de duos et
enregistré en toute fin de
carrière, à l'aube de son
quatre-vingtième anniver-
saire, Sinatra a convoqué les
meilleurs : Barbra Streisand,
Aretha Franklin, Julio Iglesias,
Gloria Estefan, Natalie Cole,
Liza Minnelli, Bono. Elton
John, Phil Collins et Sting,
qui avaient eux aussi été pres-
sentis, ont refusé parce que
les enregistrements ne se faisaient pas ensemble, Sinatra
enregistrait sa partie et la
bande était envoyée à l'autre
chanteur pour qu'il comble
les vides ou rajoute des har-
monies. Il y a quelques spec-
taculaires ratages mais les
duos avec Streisand et Gloria
Estefan justifient à eux seuls
l'acquisition de cet album.

*THE BEST OF FRANK SINA-
TRA*
My Way ; Strangers in the
Night ; Theme from New
York New York ; I Get a Kick
out of You ; Somethin' Stu-
pid ; Moon River ; What Now
My Love ; Summer Wind ; For
Once in My Life ; Love and
Marriage ; They Can't Take
That Away from Me ; My Kind
of Town ; Fly Me to the
Moon ; I've Got You under
My Skin ; The Best Is Yet to
Come ; It Was a Very Good
Year ; Come Fly with Me ;
That's Life ; The Girl from
Ipanema ; The Lady Is a
Tramp ; Bad, Bad Leroy
Brown ; Mack the Knife ;
Love's Been Good to Me ;
L.A. Is My Lady.

Est-il nécessaire d'en dire
plus ? Bien sûr, on pourra toujours regretter l'absence d'un
titre ou d'un autre dans ce
Best of. Dans ce cas, il serait
avisé de se procurer aussi :

THE REPRISE YEARS
(Reprise, 1991)
All the Way ; Come Rain or
Come Shine ; I Get a Kick out
of You ; Night and Day ; All or
Nothing at All ; I've Got You
under My Skin ; Didn't We ;

COME FLY WITH ME (Capitol, 1958)
Album à thème (chaque chanson est consacrée à une ville ou un lieu différent : *Autumn in New York, April in Paris, Chicago*). *Come Fly With Me* swingue de bout en bout sur des arrangements signés Billy May.

LES COFFRETS : UNE CARRIÈRE EN QUATRE VOLETS

TOMMY DORSEY-FRANK SINATRA : THE SONG IS YOU (BMG/RCA 1994)
Voilà comment tout a commencé. Comment, sous la direction du chef d'orchestre tromboniste surnommé « le gentleman sentimental du swing », Sinatra développa ce style unique qui marie parfaitement grande variété, jazz et musique de danse. Ces trois CD réunissent quatre-vingts enregistrements du début des années quarante.

THE BEST OF THE COLUMBIA YEARS 1943-1952 (Sony, 1995)
Devenu bien plus célèbre que l'orchestre dont il ne devait être que l'anonyme chanteur,

Strangers in the Night ; It Was a Very Good Year ; Call Me Irresponsible ; One for My Baby ; My Kind of Town ; How Insensitive ; September of My Years ; Luck Be a Lady ; Something Stupid ; Theme from New York, New York ; My Way.
Avec ces deux albums, tous les classiques sont réunis.

A SWINGIN' AFFAIR ! (Capitol, 1957)
Fort de la réussite de *Songs for Swingin' Lovers !*, Sinatra exploita le même filon l'année suivante. Et avec la même veine ! Toujours soutenu par un grand orchestre arrangé par Nelson Riddle, il redonne vigueur, fraîcheur et insolence à des classiques signés Cole Porter, Ellington et Gershwin.

SINATRA-BASIE : IT MIGHT AS WELL BE SWING (Reprise, 1964)
Accompagné pour la seconde fois de sa carrière par le grand orchestre de Count Basie, Sinatra revisite en puissance et en swing les grands succès des autres (Louis Armstrong, Tony Bennett, Sacha Distel, Ray Charles) et les fait siens.

Tommy Frank
DORSEY SINATRA
"The Song Is You"

Sinatra quitta Tommy Dorsey et se laissa séduire par Columbia qui lui proposa ce dont il rêvait depuis ses débuts : une carrière solo. Pendant neuf ans, le label insista pour que le chanteur enregistre prioritairement ces ballades romantiques qui faisaient se pâmer les jeunes filles. En quatre CD, ce coffret résume parfaitement l'atmosphère de l'époque.

THE CAPITOL YEARS (Capitol, 1990)
Lassé de la politique de sa maison de disques, des réactions hystériques de ses très jeunes fans et désireux d'entrer dans la cour des grands pour y rejoindre ses idoles Bing Crosby et Nat King Cole, Sinatra aborda dès qu'il signa chez Capitol un style plus adulte. Abandonnant ce répertoire « jeune » souvent médiocre qu'on lui imposait, il s'entoura de grands arrangeurs (Nelson Riddle, Billy May ou Gordon Jenkins) qui lui confectionnèrent les parfaits écrins pour les grands standards de la musique populaire ou les nouvelles compositions écrites sur mesure pour lui. De 1952 à 1962, au cours d'une décen-

nie magnifique, Sinatra enregistra une série de chefs-
d'œuvres. Soixante-quinze
d'entre eux sont réunis sur
trois CD.

THE REPRISE COLLECTION
Suite et fin. Sinatra quitta
Capitol où il avait l'impression de commencer à tourner
en rond pour faire ce dont il
avait toujours rêvé : créer son
propre label. Enfin artistique-
ment et totalement libre, il
put tout se permettre : enregistrer avec Basie ou Ellington, chanter les Beatles ou
Michel Legrand, ou confier
ses arrangements à un jeune
musicien découvert chez Lio-
nel Hampton, Quincy Jones.
Quatre CD réunissent le
meilleur de la troisième partie de sa carrière.

FILMOGRAPHIE SÉLECTIVE

MATCH D'AMOUR (*Take Me Out to the Ball Game*, 1949) de Busby Berkeley avec Esther Williams et Gene Kelly.
Un « *musical* sportif ».

UN JOUR À NEW YORK (*On the Town*, 1949) de Gene Kelly et Stanley Donen
Ces deux films tournés en 1949 sont à voir pour les duos chantés et dansés par Sinatra et Gene Kelly, dans les rôles de marins en permission.

TANT QU'IL Y AURA DES HOMMES (*From Here to Eternity*, 1953) de Fred Zinnemann avec Burt Lancaster, Montgomery Clift, Deborah Kerr.
Sinatra n'avait plus rien – ni agent ni maison de disques – et était considéré comme un has-been pathétique quand il réussit, grâce à Ava Gardner, à obtenir un des rôles principaux de ce film. Il y fit la démonstration de ses qualités de comédien dramatique et obtint l'oscar du meilleur second rôle.

JE DOIS TUER (*Suddenly*, 1954) de Lewis Allen avec Sterling Hayden, James Gleason.
Sinatra interprète un tueur psychopathe cherchant à assassiner le président des États-Unis.

L'HOMME AU BRAS D'OR (*The Man with the Golden Arm*, 1955) d'Otto Preminger avec Kim Novak.
Ce film valut une deuxième nomination aux oscars à Sinatra bouleversant dans le rôle d'un musicien junkie qui essaye de s'en sortir.

T'ES PLUS DANS LE COUP PAPA (*Young at Heart*, 1955) de Gordon Douglas avec Doris Day.
À voir uniquement pour les chansons : *Young at Heart*, *Someone to Watch Over Me*, *Just One of Those Things*, *One for My Baby*.

BLANCHES COLOMBES ET VILAINS MESSIEURS (*Guys and Dolls*, 1955) de Joseph Mankiewicz avec Marlon Brando et Jean Simmons.
Cette comédie est d'autant plus amusante à regarder quand on sait que Sinatra et Brando ne se supportaient pas (le premier n'avait jamais pardonné au second d'avoir obtenu le rôle principal de *Sur les quais* qu'il briguait) et ne s'adressèrent pas la parole en dehors du plateau de tournage.

HAUTE SOCIÉTÉ (*High Society*, 1956) de Charles Walters avec Grace Kelly, Louis Armstrong, Bing Crosby.
Remake musical de *Philadelphia Story*, c'est le dernier film tourné par Grace Kelly qui restera jusqu'à la fin de sa vie une des meilleures amies de Sinatra. À voir pour les numéros musicaux entre Sinatra, Bing Crosby et Louis Armstrong.

LA BLONDE OU LA ROUSSE ?
(*Pal Joey*, 1957) de George
Sidney avec Rita Hayworth,
Kim Novak.
Dans l'adaptation cinémato-
graphique de ce *musical*
monté à Broadway par Gene
Kelly, Sinatra chante *The Lady
Is a Tramp*.

COMME UN TORRENT (*Some
Came Running*, 1958) de Vincente Minnelli avec Dean
Martin, Shirley MacLaine.
Tiré d'un roman de James
Jones, ce film permet à Sinatra de démontrer une fois de
plus ses qualités d'acteur dramatique. Il y tient le rôle d'un
écrivain déçu qui rentre chez
lui après la guerre et qui
redécouvre la petite mesqui-
nerie de la province.

UN CRIME DANS LA TÊTE
(*The Manchurian Candidate*,
1962) de John Frankenhei-
mer avec Janet Leigh, Lau-
rence Harvey.
Thriller politique sur la para-
noïa communiste, le maccar-
thysme et la guerre froide.

LES QUATRE DU TEXAS (*Four
for Texas*, 1964) de Robert
Aldrich avec Dean Martin,
Anita Ekberg, Ursula Andress,
Charles Bronson.
Western comique.

*L'EXPRESS DU COLONEL
VON RYAN* (*Von Ryan's
Express*, 1965) de Mark Rob-
son avec Trevor Howard.
Sinatra dirige l'évasion d'un
camp de prisonniers en Italie.

*TONY ROME EST DANGE-
REUX* (*Tony Rome*, 1967) de
Gordon Douglas avec Jill
St. John, Sue Lyon, Gena
Rowlands.
Premier film d'une série de
quatre dans laquelle Sinatra
interprète un privé cynique et
désabusé qui ressemble sou-
vent à Humphrey Bogart.

LE DISQUE

1 **Blue Skies** (Berlin) 30/7/1946
Reprise du classique d'Irving Berlin.

2 **Mam'selle** (Gordon-Goulding) 11/3/1947
Le plus grand succès de Sinatra dans les années quarante.

3 **That Old Black Magic** (Arlen-Mercer) 10/3/1946

4 **Begin the Beguine** (Porter) 24/2/1946
Le classique de Cole Porter

5 **They Say It's Wonderful** (Berlin) 10/3/1946

6 **Five Minutes More** (Styne-Cahn) 3/8/1946

7 **Stormy Weather** (Berlin) 3/12/1944
La célèbre composition popularisée par Lena Horne.

8 **Saturday Night** (Styne-Cahn) 14/11/1944
Classé douze semaines en 1944.

9 **Day by Day** (Stordhal-Weston-Cahn) 22/8/1945
Monté en place n°5 au hit-parade en 1946.

10 **All or Nothing at All** (Altman-Lawrence) 11/8/1939
Avec le premier grand orchestre, celui de Harry James. Enregistré en 1939, il remporte un très gros succès en 1943.

11 **Everything Happens to Me** (Dennis-Adair) 7/2/1941
Avec l'orchestre de Tommy Dorsey. Dix semaines dans les charts en 1941.

12 **Sweet Lorraine** (Parish-Burwell) 17/12/1946
Avec les Metronome All-Stars, Nat « King » Cole joue l'introduction au piano ; également Coleman Hawkins, Buddy Rich, Johnny Hodges…

13 **Nancy** (Silvers-Van Heusen) 22/8/1945

14 **There's no Business** (Berlin) 22/8/1946
De la comédie Annie Get Your Gun!

15 **One for My Baby** (Arlen-Mercer) 11/8/1946

16 **Body and Soul** (Heyman-Sour-Eyton-Green) 9/11/1947
introduction à la trompette par le célèbre Bobby Hackett

17 **All of Me** (Simons-Marks) 19/10/1946

18 **S'Posin'** (Razaf-Denniker) 24/10/1947
Piano : Johnny Guarnieri, guitare : Tony Mottola

19 **Autumn in New York** (Duke) 4/12/1947
Un des grands thèmes de ce CD.

20 **Once in Love with Amy** (Loesser) 14-15/12/1948
Orchestre sous la direction de Mitchell Ayres.

Durée totale : 62'.
Un disque produit par Body & Soul, 1999
(P) 1999, Body & Soul Records
ref.10501

Avec le soutien de

France Telecom
Fondation
Fondation d'entreprise